美味しく改善

新版

ハーブ&スパイス薬膳

カラダを整える食材の便利帳

幸食薬膳料理スクール
監修：田村 美穂香

Chapter 1

スパイスとハーブ・薬膳の基礎知識

Chapter 2

スパイスとハーブ・薬膳の食材

※本書は2016年発行の『美味しく改善「ハーブ＆スパイス薬膳」カラダを整える食材の便利帳』を「新版」として発行するにあたり、内容を確認し一部必要な修正を行ったものです。

Chapter 3

体質、季節別 養生のアドバイス

はじめに

私たち人間にとって、心身ともに「健康」であることは、永遠のテーマではないでしょうか。現代は医療も発展し、病院も身近にあり、医薬品も溢れています。しかし、私たちの体からは一向に病気がなくなりません。心の病も増え続けています。もしかしたら、私たち人間は、自分たちの心と体を病気へと向かわせてしまう、何か摂理に反したことをしているのではないでしょうか。

かつて、古代の人間たちは医療のない時代に、人間も自然界の一部、人間も自然と同じ摂理で成り立っていて、その理に沿った生活をしていれば健康に生きることができると気がつきました。

季節、環境、考え方や飲食物は、対応や選択次第で、人間にとって毒にも薬にもなり得るということです。現代病といわれるアレルギー疾患や心身症が広がる今こそ、数千年の間、蓄積されてきた先人たちの経験と検証に裏付けされた知恵を生かしてみることも大切ではないでしょうか。「整体観念」(自然と人間は一体である)、「薬食同源」(薬と飲食は同じ源である)。一人ひとりが自分の体質や考え方に気づき、それに合わせて生活や飲食を整えることで、病気から解放され「健康」な日々が過ごせることを願っています。

幸食薬膳料理スクール
田村美穂香

Chapter1

スパイスとハーブ・薬膳の基礎知識

スパイスやハーブは単なる香辛料というイメージや、薬膳ときくと、漢方との関わりがあるのではないかと漠然と思った人も多いのではないでしょうか。まずは、スパイスとハーブの歴史を紐解き、世界の地域とその文化を踏まえて、食と健康に対する考え方を解説します。

スパイスとハーブの歴史

スパイスの価値は、金と同じ時代もあった

ハーブやスパイスなどの香辛料、薬味として使われた食材は、食文化を豊かにしてきました。多くの香辛料が世界中で使われていますが、どのようにして普及したのでしょうか。

スパイスとハーブは生活の知恵で選ばれた植物

スパイスやハーブは、香辛料として特有の香りや、組み合わせる食材への消臭の効能をもちます。ほかにも、色付けをしたり、食べることで体に特別の作用があるなど、料理に彩りや、効能をプラスします。

葉、枝、実、花、根など品種によって使う部位も変わります。

スパイスやハーブが手に入る地域では、料理だけではなく、祭りごとなどさまざまな目的でそれらを使用してきました。古代エジプトではミイラ作りにアニス、マジョラムを使い、シナモンが手に入るようになるとこれらも防腐剤としてミイラ作りに使用しました。

日本では、香味のある植物は食材として、または薬味として扱われてきました。諸外国のスパイスやハーブは、気候などの影響で食材が悪くならないように、あるいは鮮度が落ちて匂いがきつくならないよう消臭しておいしく食べたい、などという理由から利用されました。また、暑さによる食欲減退を改善するために辛いスパイスを使うことも。

胃の働きをスムースにする生姜は薬味にぴったり

しかし、日本は海に囲まれて新鮮な魚介が手に入り、豊富な緑と美しい水、山の幸に恵まれていて、そこまで工夫をする必要がありませんでした。そのため、日本ではワサビ、サンショウ、紫蘇やネギなど香味野菜を薬味として利用する食文化になりました。

暮らしの知恵から始まった植物の学問

ギリシャでは、神話にハーブが数多く登場します。古代ギリシャでは、植物学が紀元前に進んでおり、「植物誌」はテオフラストスによって作られました。テオフラストスは植物学を学問として確立し、植物学の祖と呼ばれています。

ハーブや植物のもつ力を、現在ではメディカルハーブや、フィトケミカル（P.12）として化学的に捉える考え方があります。ほかにもインドでは、紀元前5～6世紀に伝

統的医学のアーユルヴェーダの中で体系づけています。古代中国では、植物を中国伝統医学、生薬（漢方薬の原料となる天然のもの）としての考え方の元となる陰陽五行（陰陽はP.14、五行はP.16）が紀元前に儒教の普及として説かれています。古典薬物書「神農本草経」がまとめられています。

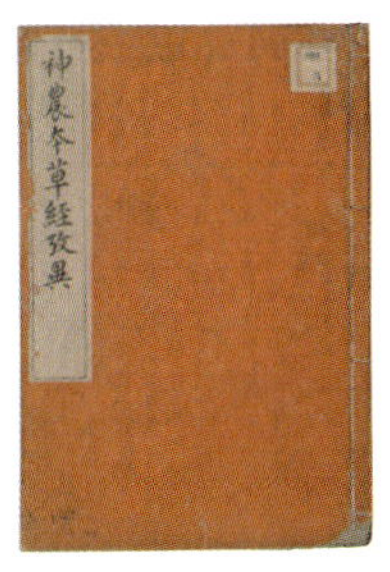

神農本草経

（森立之 編　1854年発行）
上薬は健康増進に、中薬は病気治療に、下薬は効力が強く長期使用はできない薬物を解説している

日本には、古代中国の中国伝統医学が朝鮮半島を経て伝わり、日本独自の風土に合わせ日本の漢方医学が発達してゆきました。

各国で生活の知恵として使われていたスパイスやハーブは、はじめは自生していたものを利用していましたが、人間によって栽培されるようになりました。

スパイスはヨーロッパから遥か遠くにある東南アジア、インドなどが原産地です。薬用、媚薬、保存剤として扱われていました。

シルクロードを使って陸路で運んでも2年の歳月がかかり、運搬にも高いリスクがあることから、スパイスは金と同様の価値になりました。遥かアジアから運ばれてきたことはわかっても、イスラム商人を介して手に入れる頃には、詳しい原産地はどんな国かわからない……こうしたことから、ヨーロッパではインドをはじめとする東洋への好奇心が高まりました。

マルコ・ポーロの『東方見聞録』は、12世紀にマルコ・ポーロがアジアで見聞きしたものをまとめた本。当時は多くの人がこの本をフィクションとして扱いました。しかし、14世紀以降、スパイスが食生活に欠かせなくなってきたヨーロッパ諸国は、絹、金、豊富なスパイスを求めて大海原へ。この時に東方見聞録は、貴重な資料として扱われました。

東方見聞録

マルコ・ポーロによって12世紀に書かれた。（原題：La Description du Monde）写真は14世紀に刊行されたもの

そのうち、海の貿易路が発達することで以前よりスパイスの貿易がスムースになったものの、手に入りにくいコショウやナツメグなどを求めて戦争となりました。これをスパイス戦争と呼びます。しかし、最終的にはフランスを筆頭に、自国や植民地での栽培に成功し、戦争を終えることとなりました。

豆知識

1600年にイギリスによりイギリス東インド会社が設立され、1602年にオランダによりオランダ東インド会社が設立されます。イギリス、オランダ両国の東インド会社はともにジャワ島に拠点を置き、日本を含む東南アジアの香辛料の貿易を独占。これによりヨーロッパ諸国のスパイス争奪戦が激化しました。

スパイスとハーブの基礎知識①

まずは植物と医学の関係・歴史について知っておこう

古代エジプトの時代から使われていたハーブやスパイス。こうした植物はどのように医学の分野に取り入れられていったのでしょうか？

古代の医師たちはすでにスパイスやハーブの知識を持っていた

人は昔から、スパイスやハーブいった植物を、食用や薬草として生活の中に取り入れてきました。その歴史は非常に古く、すでに古代エジプト文明の時代には、さまざまな薬草の知識を持ち、それを医学に活用していたことが知られています。

またヨーロッパでは、広大な国土の中で食料を遠くまで運ぶ際の長期の保存のため、食料がとれない冬に保存しておくためにスパイスが使われてきました。また、強い臭みを持つ肉類を好む地域では「臭み消し」として、スパイスやハーブの文化が発展しました。

スパイスやハーブなど植物の効能が学問として確立されたのは、世界三大伝統医学であるアーユルヴェーダ、中国伝統医学、ユナニ医学。そこから派生し、日本の漢方やチベット医学、モンゴル医学などが各国の風土に合わせて作られていきます。

モンゴルの伝統医学の場合は、中国伝統医学と、インドからアーユルヴェーダを取り入れたチベット医学の2つの医学を基礎としています。

薬草を用いた療法が有名なアーユルヴェーダ

インドのアーユルヴェーダは世界三大伝統医学のひとつと呼ばれています。5000年以上の歴史を持ち、世界最古の伝統医学として現在に受け継がれています。また世界保健機関（WHO）により公式に認められ、現在では世界中で実践されているのです。

西洋医学が、病気の症状を抑える「原因療法」であるのに対し、アーユルヴェーダは主に健康を保ち、長寿や若さを実現することを目的とします。いわゆる「予防医学」ともいえるでしょう。

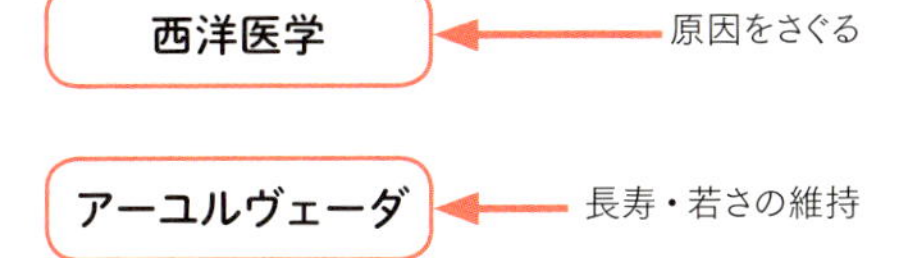

とくに薬草を用いた療法が有名ですが、併せて健康食と自然食という観点からさまざまな食事法を確立しています。

中国伝統医学が日本に伝来して「漢方」になった

さて世界三大伝統医学の残りの2つがユナニ医学と中国伝統医学（中医学）です。

ユナニ医学は、イスラムの伝統医学であり、イスラーム医学ともいわれますが、ギリシャ、ローマの医学が基本になっています。

一方、古代中国に生まれた中国伝統医学は約2000年前には体系化され医学として成立していたといわれています。

中国伝統医学の代表的なものとしては中薬を使った薬物療法である「湯液」、あんま術に代表される「導引」、そして「鍼灸」「気功」などが挙げられます。

じつはこれら中国伝統医学が渡来し、日本の「漢方」となりました。つまり「漢方」というのは漢方薬による治療法だけでなく、さまざまな治療法を含めた中国からの伝統医学の総称なのです（ただし、現在では基本的に漢方薬の治療が主となっています）。

日本への伝来は5～6世紀頃といわれていますが、そこから中医学は日本の風土や育つ植物に合わせて、独特のものへと変化していきました。漢方薬の処方の仕方も日本独自の方法が発展してきたのです。

本書では食を中心とした「薬膳」について詳しく解説しますが、漢方薬は、患者の体質や病気の位置と性質、原因などを総合的に判断して、天然の素材から生まれた生薬を組み合わせて処方するものです。

そのため漢方薬の治療法では植物をはじめ、さまざまな食材に関する高度な知識と臨床経験が必要となってきます。

豆知識

日本では「スパイス」は「香辛料」と訳されています。このスパイス、じつは1970年代半ばまでは馴染みがないものでした。というのも日本は周りを海に囲まれており、新鮮な食材がすぐに手に入る環境にあったからです。保存性や消臭性はそれほど必要なく、スパイスは淡泊な食材にアクセントを加える程度のものでした。そのため現在のようにさまざまな方法で使われるまで時間がかかったのです。

スパイスとハーブの基礎知識②

フィトケミカル栄養学とメディカルハーブとは

第７の栄養素とされる「フィトケミカル」、自然治癒力を高める「メディカルハーブ」。植物が持つ不思議な力が、最近大きな話題を呼んでいます。

老化や生活習慣病を予防する驚きの物質

最近「体によいもの」として大きな注目を浴びているのが「フィトケミカル」。これは植物性食品の香りや色、アクなどから発見された化学物質です。

フィトケミカルは野菜や果物、豆類、海藻、お茶やハーブなど、さまざまな食品に含まれていて、抗酸化力があり、免疫力のアップなどに効くのではないかと期待され研究が進んでいます。

私たちの体は食品を燃焼させエネルギーを作り出しますが、その過程で「活性酸素」が発生します。この活性酸素は細胞膜を攻撃し老化を引き起こす悪者。生活習慣病やガン、認知症、そして皮膚のしみ、しわといった老化現象は、この活性酸素が大きな原因になっているのです。

一方、活性酸素を除去し、老化を防止してくれる抗酸化物質が「フィトケミカル」です。植物は光合成をおこなうため紫外線を浴びなければなりません。私たちは生きる上で体や内臓を動かしています。それだけで活性酸素は発生しますが、さらには食事をとり、消化する上でも活性酸素が発生します。つまり、つねに活性酸素が発生しているわけです。ただし、活性酸素が増えすぎると病気の一因に。それから身を守るため、抗酸化物質を作り続けているのです。

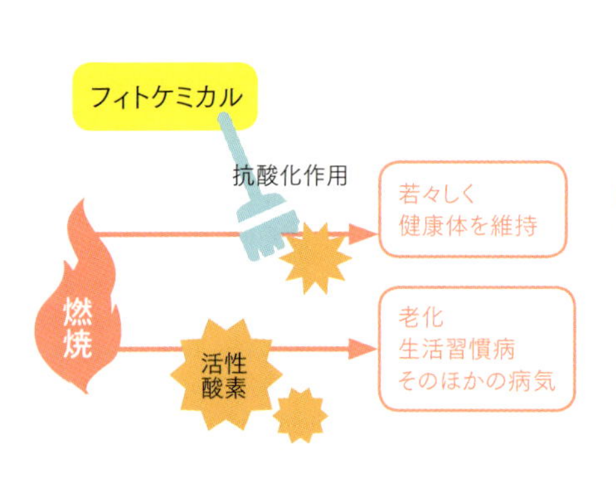

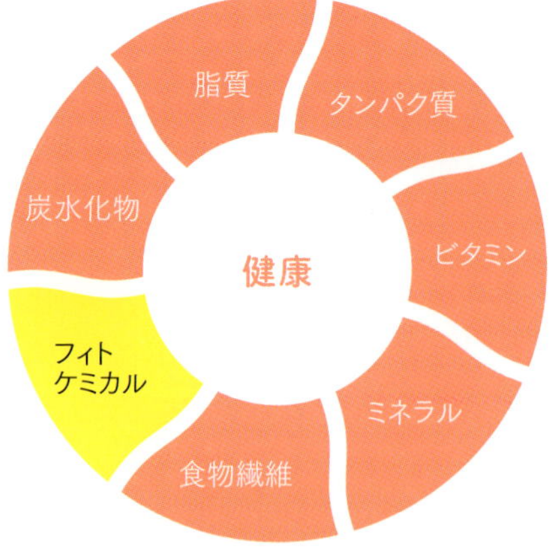

ポリフェノールやカテキンも フィトケミカルの一種

フィトケミカルは第7の栄養素とも呼ばれています。すなわち炭水化物、脂質、タンパク質の三大栄養素、そしてビタミン、ミネラル、食物繊維に続くもの。最近では赤ワインの含有成分として話題になった「ポリフェノール」、大豆に含まれる「フラボノイド」、緑茶の「カテキン」などが有名でしょう。

フィトケミカルはカロリーがゼロで、微量でも十分に機能を発揮することができます。

現在見つかっているフィトケミカルはなんと約1500種類にも及びます。ほとんどの植物に含まれており、その種類もバラエティーに富んでいます。

自然治癒力を高めてくれるのが メディカルハーブ

この植物化学物質を中心に、体系的に作られた栄養学が「フィトケミカル栄養学」です。従来のカロリーを重視したものではなく、「抗酸化作用」を重視して考えられた栄養学になっています。

フィトケミカルは、抗酸化作用以外にも動脈硬化や糖尿病の原因になる「糖化」にも有効。さらに消炎作用やホルモン分泌の調整、解毒作用など、さまざまな機能が研究でわかってきています。

同じように最近脚光を浴びているのが「メディカルハーブ」という分野です。従来のハーブのように、単に料理やクラフトに利用するのではなく、それぞれの植物特有の働きに注目し、心身のケアに利用しようという発想です。

メディカルハーブでとくに重視されるのが「自然治癒力」ですが、これは人間の「乱れたバランスを元に戻す」生まれつきの力を指しています。メディカルハーブはこの力を高めるのに非常によいとされているのです。また美容の分野でもその効能が注目されています。

フィトケミカルの「抗酸化作用」や、メディカルハーブの「自然治癒力」は、漢方や薬膳の考え方と通じるものがあります。次のページからはその「漢方」の世界を詳しく紹介していきます。

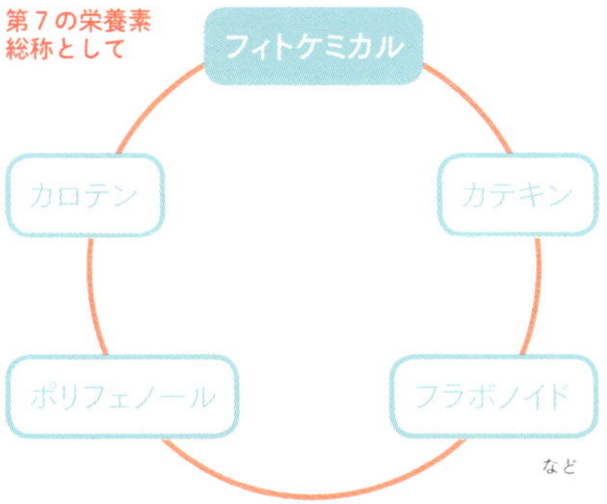

第7の栄養素
総称として
フィトケミカル
カロテン
カテキン
ポリフェノール
フラボノイド
など

豆知識

フィトケミカルにはポリフェノール系、カロテノイド系、イオウ化合物系、テンペル類、グルカン類などの種類があります。いずれも抗酸化作用を持っており、生活習慣病予防に威力を発揮します。また脂質やコレステロールを取り除いたり、血流を改善したり、種類によって独特な効能を持っています。

漢方の基本①

私たちは「陰陽」と「気血水」で体のバランスを上手に保っている

最終的に薬膳を深く知るためには、まず漢方の考え方を知っておかなければなりません。ここでは大きな２つの原理について解説しておきましょう。

漢方の中には「陰陽」という大切な原理原則がある

漢方には「陰」と「陽」という考え方があります。これは自然の原理原則をとらえたもので、自然のものすべてを「互いに相反する性質をもっている」と二極化して考えます。たとえば男性が陽で女性が陰、食材の場合は体を温める性質は陽、逆に体を冷やす作用は陰といった具合です。

この陰と陽のバランスがとれている状態を漢方では「健康」と考えます。一方、バランスが崩れると、人間は病気になってしまいます。このように陰陽は人体の病理の説明や食材や薬の分類にも用いられます。

とくに食材の例でいえば、体に熱があるときは陰の性質のものを、逆に体が冷えている場合は陽の性質を体に入れることでバランスが保たれます。

この陰陽には2つの大きな法則があります。ひとつは「どちらかが盛んになると、一方が衰える」という量的変化。これを「消長」と呼びます。もうひとつは「転化」。ある程度まで発展すると陽は陰に、陰は陽に変わるという質的変化です。下の図はそれぞれを視覚的に解説しています。

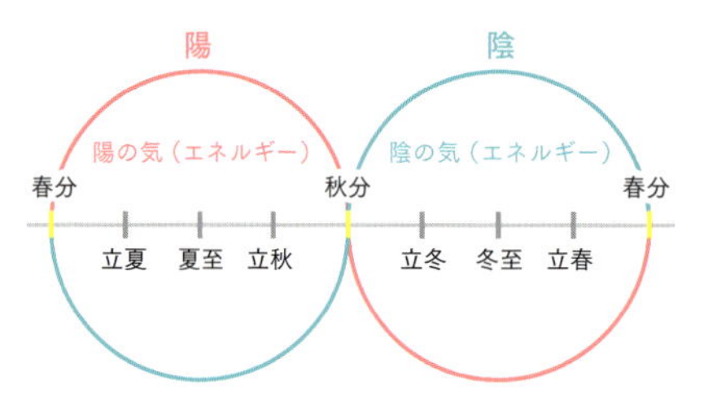

四季を陰陽で表した図。春分を境に温かいエネルギーの「陽気」が増し、夏至をすぎるとその量が減っていき、秋分で「陰気」にとって代わります。逆に陰気は冬至まで増え続け、その後は減少します。これを「消長」といいます

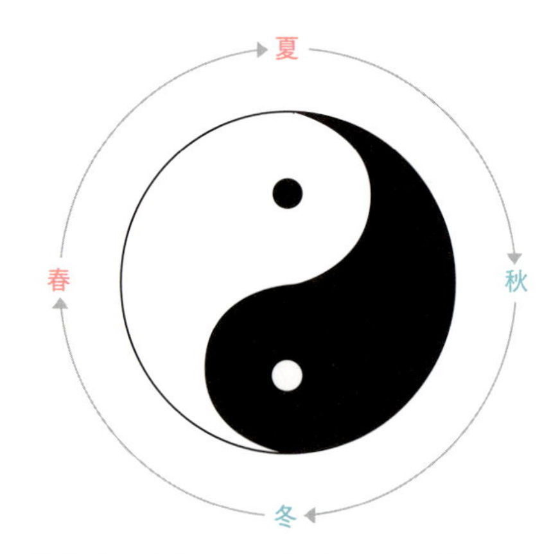

「陰陽」を表した「太極図」。陽（夏）が極まると陰（秋）に、陰（冬）が極まると陽（春）に……という具合に質的にも変化することも表しています。またそのように変化することで全体のバランスが保たれていることを表現しています

陰陽とともに漢方の根幹をなす考え方に「気血水」があります。「気血水」とは私たちの体を構成する3つの要素のこと。「気」は生命エネルギー、「血」は血液、また「水」は血液をのぞいた体液のことを表します。この3つはお互いに助け合いながら全身を巡り、生理機能を維持しています。

陰陽と同じように、漢方ではこの「気」「血」「水（津液）」のバランスがよい状態が「病気にならない体」と考えています。

逆にいずれかが足りなくなったり、うまく循環せずに停滞した場合は、心や体に不調が現れてきます。

気血水のバランスにはスパイスやハーブが効く

それでは気血水について詳しく見ていきましょう。最初に「気」。これが不足している状態を「気虚（P.126）」、滞っている状態を「気滞（P.128）」と呼びます。これらが起こると「疲れやすい」「気分がふさぐ」などさまざまな症状が出てきます。

次に「血」は肌や内臓を潤し、全身に栄養を送ってくれます。血が不足している状態は「血虚（P.130）」といい、視力低下や月経の不順、めまいなどあらゆる症状がみられます。血の流れが滞っている状態は「血瘀（P.132）」といいます。肩こりや月経痛、シミやアザができやすい状態です。

最後に「水」。水とはリンパ液や唾液、汗など、あらゆる水分のこと。水が不足した状態は「津虚」、滞っている状態は「水滞（P.134）」といい、むくみや各種不調の原因になります。

この気血水をバランスよく保つためには、本書で紹介するスパイスやハーブなどの食材が非常に効果が高いのです。

本書では、気虚、気滞、血虚、血瘀、水滞の典型的な体質について、Chapter3のP.125～で診断チェックと、薬膳をメインとした改善方法を解説しています。

ほかにも陰虚（目の充血、便秘がち）、陽虚（疲れがとれず冷えが強い）、水毒（体のむくみ、めまいや立ちくらみ）、陽熱（怒りやすく、暑がり）、痰飲（小太り、体臭が強い）などさまざまなタイプがあります。

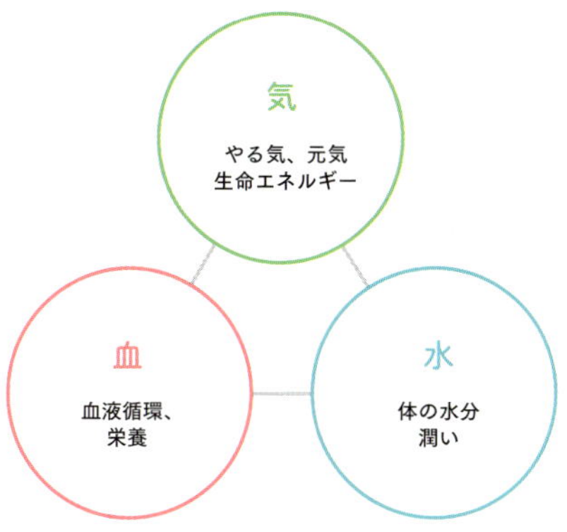

気血水。この3つがバランスよく保たれている状態が漢方の「健康な状態」です

豆知識

気虚にはナツメ、高麗人参、米。気滞にはこまつな、しゅんぎく、セロリが有効。血虚にはナツメ、黒きくらげ、黒ゴマ。津虚にはれんこん、はくさい、しいたけなどがよいとされています。気虚、気滞、血虚、血瘀、水滞についてはChapter3で詳しく解説しています。

漢方の基本②

健康や体調の変化、正しい食事がわかる「五行説」

漢方や薬膳を理解する上で、もうひとつ欠かせないのが「五行説」。「木」「火」「土」「金」「水」の５つの要素の関係が、私たちの健康や食生活に大きな影響を与えます。

「五行説」を理解できれば、正しい食生活が導かれる

漢方にはもうひとつ基本となる考え方があります。それが「五行説」です。

五行説では自然界の現象やすべての物は「木」「火」「土」「金」「水」の5つ（五行）に分けることができ、互いに抑制したり、助け合ったりしてバランスを取っていると考えます。また5つのバランスが取れているのが非常によい状態だとされます。

五行間には互いの力の循環を表す「相生」と、互いを制約する「相克」という関係があります（下図参照）。

たとえば木と火、木と土の関係を見てみましょう。木と火では「火は木から生まれる」という関係であり、これが「相生」です。次に木と土は「木は土から養分を奪って成長する」という関係ですが、これが「相克」となります。

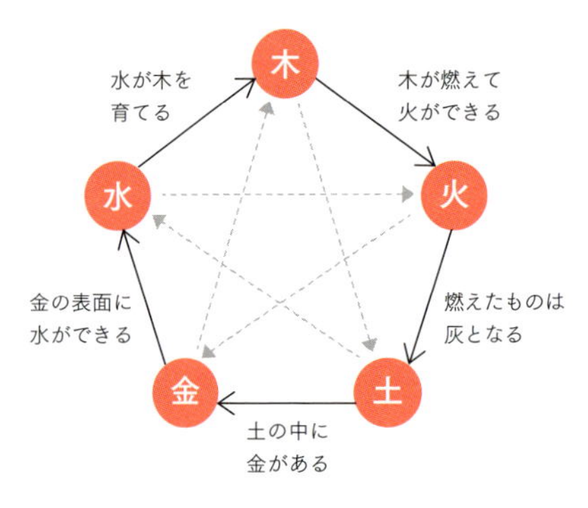

このように万物は変化しながら循環するという考え方が五行なのです。

この五行には人間の体の五臓や味なども対応しています。つまり健康や体調の変化、正しい食生活なども五行で説明することができるわけです。

五行にはそれぞれ固有の特性とイメージがある

それでは五行のそれぞれの特性とイメージを紹介しましょう。

「木」は成長、発展、円滑、のびやかという特性を持っています。イメージとしては樹木が枝を伸ばし、上へ広がっていくもの。

「火」は「発熱、炎上」という特性。熱や光を発し、空気の流動を起こすイメージ。

「土」の特性は「養育、変化、受納」。万物を生み出し育てる大地のイメージです。

「金」は固く冷たい金属のイメージ。「清潔、清涼」といった特性があります。

最後に「水」ですが、これは「下に流れ、

物を潤す」イメージ。水の特性は「寒湿、下行、滋潤」となっています。

漢方の「知恵」をひとつにまとめた「五行色体表」

この「五行」と我々の体、臓器、感情、味覚などを関係づけたものに「五行色体表」というものがあり、漢方や薬膳でも広く利用されています。下の表が「五行色体表」の一部です。最初は非常に難解に感じられますが、慣れてくると自然に漢方に対する理解が深まっていきます。

たとえば2段目の「五臓」と7段目の「五志」を見てみましょう。五臓とは臓器、五志とは感情のことです。そこで、試しに表を1段目の五行の「土」のところから、縦に見ていくとそれぞれ「脾」と「思」という文字が出てきます。

これは思＝くよくよ悩むのは、「脾」に不調があるため、ということを示しています。また「脾」は食べ物の消化吸収を管理しているので、この臓腑が不調になると食欲不振や消化不良が起こります。そこで脾の働きを回復させる食材が必要になりますが、それは表の「五色」と「五味」に記されています。表ではそれぞれ「黄」と「甘」となっていますが、つまり「脾」が衰えているときは、黄色の食材で、甘いものがよいということになります。具体的にはカボチャやとうもろこしがそれに当たります。

このように「五行色体表」を使うことで私たちの体によい薬膳の食材を決めることができるわけです。

さらに表の「五季」など、季節と体の関係もこの表で捉えることができます。

豆知識

陽と陰は1日の流れにも対応します。すなわち午前中は「陽」で午後が「陰」となります。その特徴としては、午前中は代謝が速く、午後は代謝が遅いことがあげられます。日本食は長寿食と呼ばれていますが、じつはこの陽と陰の考えが取り入れられています。朝は代謝がよいのでバランスのよい食事をとりましょう。

五行色体表の例

五行	木	火	土	金	水
五臓（臓器）	肝	心	脾	肺	腎
五腑	胆	小腸	胃	大腸	膀胱
五味	酸	苦	甘	辛	鹹
五根（感覚器）	目	舌	口	鼻	耳
五支	爪	顔面	唇	皮膚／産毛	髪
五志（感情）	怒	喜	思	悲	恐
五季	春	夏	長夏（梅雨）	秋	冬
五気	風	暑	湿	燥	寒
五方	東	南	中央	西	北
五色	青	赤	黄	白	黒

※五行色体表は、五行のタイプから何を養生すべきか指針を見る表で、必ずしもこの表のまま合致するわけではありません

薬膳の基本①

体の不調を改善し、自然治癒力を高めてくれる「薬膳」

古代中国伝統医学から生まれた漢方。薬膳も中国伝統医学の考えを用いた献立、養生法です。体の不調などを薬を使わずに治し、病気を事前に防いでくれるのです。

「薬食同源」。薬と食は同じ源から作られるという考え方が基本

薬膳とは、食べる人の体調や症状、またそのときの季節などを考慮して作る、中国伝統医学の理論に基づいた食事のこと。肌荒れ、肩こり、便秘など、さまざまな体の不調を改善し、健康な体作りを促してくれます。

薬膳の起源となる古代中国伝統医学では体のバランスを重視しています。体の不調が症状として表に出てくるのは「病気」ですが、そうでなくても体や気分のバランスが崩れている状態があります。これは「未病」と呼ばれます。

このバランスが崩れた「未病」を改善し、整えてくれるのが薬膳です。薬という言葉がついていることから、「薬が入った料理」と考える人も多いようですが、これは正しくありません。そもそも漢方には「薬食同源」といって、薬と食材は同じで、区別はしないという考え方があるのです。

本来、薬膳は「オーダーメードの献立」です。この症状にはこれ、というレシピではなく、食べる人の状況を総合的に判断して、食材や調理法を選びます。

養生とは生命力を高め、自然治癒を意識すること

薬膳に関連してよく使われる言葉に「養生」というものがあります。「養生」というのはひとことでいえば“生命力を高めていく”ということ。

その中でとくに重視されているのが「生

未病の位置づけ

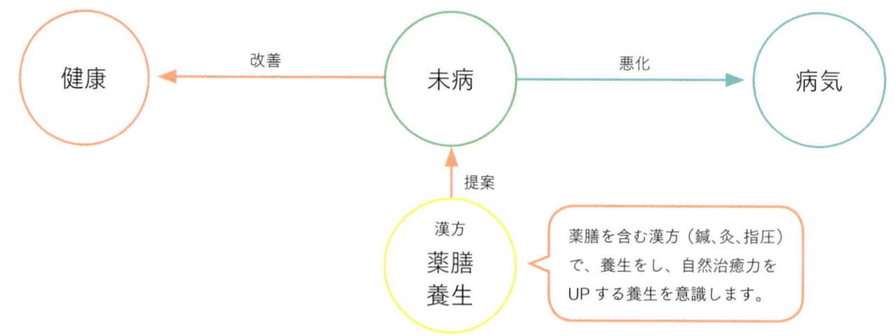

命力＝自然治癒力」という考え方です。自然治癒力とは、人間が生まれながらにして持っている「病気やケガを治す力」。自然治癒力が弱くなっている状態では、病気になりやすく、また回復も非常に遅くなってしまいます。薬膳はこの「自然治癒力」も高めてくれるのです。

また養生では「自然のリズムを大事にすること」が重視されています。

薬膳の重要な要素「五臓」と「帰経」「五味」を知っておこう

薬膳に関して理解を深めるためには、「五臓」と「帰経」について知っておかなければいけません。

まずは「五臓」について説明しましょう。これはP.17の「五行色体表」にも出てきましたが、私たちの体の重要な器官とその機能を分類したものです。それぞれの役割は以下の通りです。

五臓の意味する箇所

肝	情緒や自律神経、血の分配や気の巡り
心	精神や心臓の循環機能など
脾	吸収・消化機能、栄養や水分の代謝など
肺	呼吸、皮膚の機能、水分代謝など
腎	生命維持機能全般、生殖機能、泌尿器に関する機能など

薬膳では「五臓」の機能を元に、それに効く食材を探し出していきます。

次に「帰経」ですが、これは食材や生薬が、どの五臓に優先的に働くかを示した「道しるべ」です。

漢方では「経絡」と呼ばれるエネルギーの伝達経路が全身に巡っていると考えられています。食材や生薬はこの経絡に入り、各臓腑に運ばれ効果を発揮します。

ただし「帰経」にはさまざまな経絡があります。たとえば「冷える」性質を持つ食材でも、バナナは「大腸経」という経絡に入り「便秘」などに作用します。

一方同じ「冷える」性質を持った梨の場合は「肺経」という経絡に入り、風邪やのどの炎症などに効きます。

体と心の崩れたバランスを薬膳で調整して自然治癒力を高めつつ、季節や症状に見合った体づくりをすることで未病から病気になることを防ぎます。

帰経の例（大腸経含む）

大腸	バナナ（ほかにも肺・脾・胃の帰経）
肺	梨（ほかにも胃）
脾	キウイ（ほかにも胃）
肺	グレープフルーツ（ほかにも肝・脾・胃）
腎	すもも（ほかにも肝）
心	スイカ（ほかにも胃・腎）

豆知識

月～日の曜日は五行から発生したものでは、と考える人も多いと思います。しかし現在の一週間の曜日は西洋の天文学から発生したものであり、五行から出たものではありません。日本の曜日はあとから、西洋の曜日に五行を対応させたものなのです。

薬膳の基本②

薬膳の食材は「四気」と「五味」で分類される

食材は、5種類の「四気（四性、五性）」があり、体を冷やすのか、温めるのかを四気で表します。また、五臓に影響する「五味」があり、味と密接な関係をもっています。

食材が体内に入ったときの性質を表すのが「四気」

薬膳の基本となるのが、2000年以上も前に書かれた最古の薬学書『神農本草経』です。ここには365種類もの食材・生薬が記載されており、「四気」と「五味」の理論が記載されています。まず「四気」について説明しましょう。薬膳ではこの「四気」を元に、食材の特性を活かしながら調理法を考えていくのです。

「四気」は「四性」とも呼ばれ、食材が体の中に入った時の「寒・熱」の性質を表します。四気にはその程度により「寒、涼、温、熱」の4種類があります。この4つのどれにも属さない穏やかな性質に「平性」というものがありますが、これを入れて「五性」と呼ぶ場合もあります（本書では、五性で表記しています）。

まず寒性と涼性ですが、これらは体の余計な熱を取り除き、鎮静させてくれる働きをします。寒性と涼性では前者の方が作用は強くなります。

具体的な食材には、はとむぎ（P.72）、とうがん、リョクトウ（P.70）、セロリ（P.60）、わかめ、バナナ、スイカ、梨などがあります。

気や血液の流れをよくしてくれるのが「温性」と「熱性」

次に温性と熱性ですが、これらは体を温めて、気や血液の流れをよくしてくれます。度合いは熱性のほうが高いのですが、両方とも新陳代謝の向上に効果があります。

具体的な食材は、ショウガ（P.48）、ニンニク（P.24）、ネギ（P.）、唐辛子など。また、たまねぎやらっきょう、ニラ、カボチャといった野菜類も、この分類に入る食材です。

五味の働き

酸	収斂作用、固渋作用、止瀉作用
苦	清熱作用、瀉下作用、燥湿作用
甘	緩和作用、補益作用、潤燥作用
辛	発散作用、行気作用、行血作用
鹹	軟体、潤下作用、軟堅散結、滋潤補腎

※淡い味を示す「淡」という六味もあります

四気（五性）の働き

寒・涼	体を冷やす、のぼせを冷ます
温・熱	体を温める、冷えをとる
平	どちらでもなく、体にやさしい

※ドクダミ（P.100）など、わずかに作用するものには「微寒」と示しているものもあります

最後に平性ですが、これは体を冷やすことも、温めることもなく、体の機能に作用します。体質を選ばないため体の弱い人にもおすすめ。具体的な食材としては山いもや黒ゴマ、クコの実、梅、さつまいも、さといも、米、大豆などがあります。

体のさまざまな臓腑に作用する「五味」の力

さて「五味」ですが、これは食材の味覚と働きから分類したものです。五味は、P.19で紹介した「五臓」に対応しています。

五味には「酸味」「苦味」「甘味」「辛味」「鹹味(かんみ)」の5種類がありますが、それぞれについて詳しく説明しましょう。

まず「酸味」ですが、これはいわゆる「引き締め」の効果をもちます。筋肉を引き締めることで体液が外に漏れだすのを抑制します。とくに汗のかきすぎや、下痢、頻尿などに効くとされています。

次に「苦味」ですが、体内の不要な熱や毒を取り去り炎症を抑えたり、湿気を取ってくれます。とくに肌のトラブルや便秘などに高い効果を発揮します。また夏バテにもよいとされます。

「甘味」は痛みや疲れを和らげる作用をもちます。血液や気の補給にも効果があり、それらがスムースに全身を巡るのを助けてくれます。

「辛味」は体を温めたり、血行を促進してくれる食材。冷え症だけではなく風邪の初期などにも効果があります。

最後に「鹹味」ですが、これは排泄や便通によく効くとされています。硬いものや固まりをやわらかくし、リンパや筋肉にも作用します。なお、辛味と苦味を同時にもつ食材など複数の食味をもつものも多く、それらは薬膳としては高い効果をもつ食材といえます。

五味を相克から読み解く五禁

五味	不調	食材例
酸	脾が弱っている	レモン、酢、梅、ローズヒップ、トマトなど
苦	肺が弱っている	苦瓜、ぎんなん、ミカンの皮、はすの実、緑茶など
甘	腎が弱っている	砂糖、はちみつ、牛乳、バナナ、ぶどうなど
辛	肝が弱っている	ニンニク、ショウガ、唐辛子、コショウなど
鹹	心が弱っている	昆布、わかめ、のり、えびなど

『黄帝内經』によると五禁は「肝病禁辛、心病禁鹹、脾病禁酸、腎病禁甘、肺病禁苦」とあり、弱っている箇所と食べ物の組み合わせで不調を改善する考え方を提唱しています

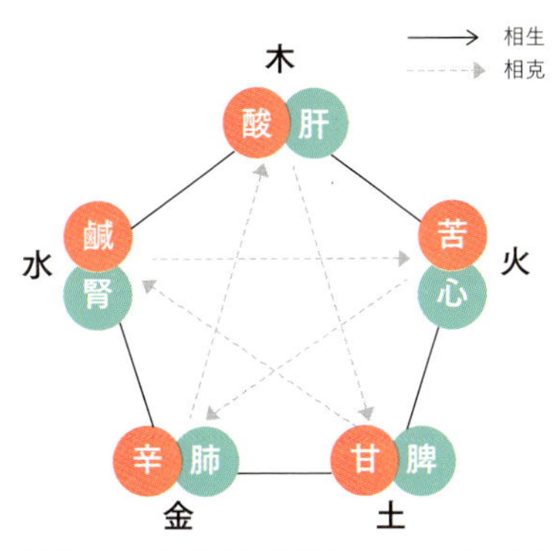

五禁は、上の相克の関係で解説しています。たとえば、酸は「木」に値し、木は土に勝ちます。となると、土にある「脾」が弱っている時は、酸味により負けてしまうため摂取を控えましょう、と読み解けます

COLUMN

詳しく知ろう

「薬食同源」古代中国から続く健康への思い

幸食薬膳料理スクール　田村 美穂香

古代中国の伝説の人物「神農」の教えに基づく薬膳

「薬食同源」の考えは、古代中国の伝説上の人物「神農」にさかのぼることができます。神農は日々多くの毒に当たりながら植物を口にして、その効果、効能を確かめ伝えたそうです。後に神農の名を借りて書かれた薬物書「神農本草経」は、薬物を上中下の3つに分け、最も重要とされていた上薬には日常の食べ物が多く含まれており、すでに薬食同源の概念が形成されていたことがうかがえます。

古代中国では薬膳専門の食医がいた

中国の周時代の書物「周礼」によると、医者を「食医」「疾医」「瘍医」「獣医」の4つに分け、その最高位にあるのが食医とされていました。食医は、患者の体調に合わせ食事を指導する医師のこと。食事に効能のある薬草を取り入れてバランスをとるなどの知識に長けていました。すでに紀元前から中国では普段の食事を整えることが最も大切であると提唱されていました。

その後も中国では、薬食同源の考え方は連綿と受け継がれ、明の時代に書かれた「本草綱目」には自然由来の薬物と数百に上る養生処方が紹介され、現代に使われている多くの食材が網羅されています。

現在では、日常においては薬膳として、また、中国伝統医学を支える中薬学として、日本では漢方薬として発展し続けています。

和語本草綱目

中国の「本草綱目」が、江戸時代に活躍した医学者の岡本一抱によって翻訳された。
岡本一抱訳
元禄11年（1698年）刊行。全23巻

Chapter2

スパイスとハーブ・薬膳の食材

スパイスやハーブ、体によさそうと漠然とイメージはできても、実際はよくわからないもの。
ここでは薬膳とフィトケミカルをベースにスパイスやハーブ、ポピュラーな薬膳食材の効能を組み合わせ食材付きで紹介します。

CHAPTER2

01

SPICE

生活習慣病を予防し、エネルギーを補填する

ニンニク

**世界中の料理で使われるスパイスの代表格。
体を温めて、食欲を増進させ、栄養の吸収をよくします。
抗酸化作用で生活習慣病の予防などにも効果的です。**

DATA【別名】ヒル、ガーリック　【科名】ユリ科　【使用部位】根茎

 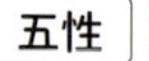  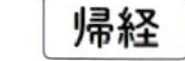   

五味 辛　五性 熱　帰経 脾 胃 肺

リフレッシュ　消化　水分調整　整胃腸　活力UP　温める　清熱　リラックス　うるおす　活血　消毒殺菌　その他

おすすめの 利用法

外皮を取り除いて潰したり、スライスしたり、すりおろして使います。調理の際は、油を加えるとニンニクの成分が壊れにくく、滋養強壮効果が高まります。

そのままスープに入れたり、スライス、すりおろし、潰すなど料理に合わせて利用します

期待できる 効能

体を温めることで五臓を活性化し、
食欲増進、下痢や風邪の諸症状に。
疲労回復などにも効果的です。

ニンニクの芽はカロテンやビタミンCを豊富に含み、中華料理によく利用されます

血行をよくして体を温め、風邪の諸症状の緩和に

ニンニクは、西アジアから地中海沿岸が原産とされています。温暖な気候でよく育ち、古くからあらゆる国のスパイスとして利用されています。古代エジプトでは、スタミナ源としてピラミッドの建設時に多く使用していたという記録があります。

ニンニクは、血を巡らせて体を温めるため、冷え性や冷えからくる下痢に、風邪では悪寒の緩和や、解熱に有効です。

強い抗菌、鎮静、解毒作用、疲労回復などに加え、胃液の分泌をよくし、胃腸を整え、食欲を増進します。そのほか消化吸収を高め、胃もたれの改善や、食欲不振の改善にもよいでしょう。

MEMO
ニンニクの臭いのパワー

ニンニクは傷をつけなければほぼ無臭です。ただし、身を砕いたり、刃を入れるなどの外部からの刺激を受けることによって、アリシンという刺激臭のある成分が発生します。このアリシンは抗菌、抗酸化作用があり、高血圧や動脈硬化などの生活習慣病を予防します。さらに香りによって食欲を増進させ、とくにたんぱく質や炭水化物の消化と吸収をよくするので、エネルギーを効率よく利用できます。

組み合わせで楽しもう！

牛肉×ニンニク
炒め物・焼肉・ステーキ

牛肉は気や血を補い、適度に体を温めます。骨や筋肉を強くする働きがあり、虚弱体質の改善に効果的です。ニンニクをタレや味付けに使うことで、食欲を増進させ、牛肉のタンパク質を効率よく体に吸収します。エネルギー補給、疲労回復によい組み合わせです。

ニンニクは、タレや味付けに利用しましょう

強い殺菌力で気管支のトラブル解消、風邪の予防に

ワサビ

日本では昔からよく利用されてきたワサビは、水がきれいな場所でしか育たない高価な食材です。殺菌力に優れ、生魚の腐敗を防ぎます。

DATA【別名】ー　【科名】アブラナ科　【使用部位】根茎

五味 辛 苦　五性 温　帰経 肺 胃 脾

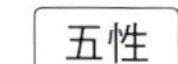

リフレッシュ　消化　水分調整　整胃腸　活力UP　温める　清熱　リラックス　うるおす　活血　消毒殺菌　その他

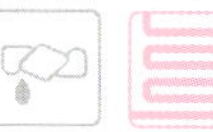

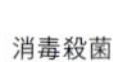

おすすめの 利用法

すりおろして刺身に合わせたり、肉のタレなどの香辛料として。おひたし、漬物などにも使います。

畑ワサビの様子。ワサビ栽培の方法は、「畑ワサビ」と「水ワサビ（沢ワサビ）」の２種類があります

期待できる 効能

強い殺菌力で腐敗を防ぎ、風味を付ける日本の伝統の食材のひとつ。外用ではリウマチなどにも効果的。

殺菌力で生魚の腐敗を防ぎ香り成分で胃を健康にする

ワサビは多年草で、日本の北海道、四国、本州、九州の深山の渓流など、水がきれいで温度が低い場所で栽培されています。水を多く使う水ワサビと畑で育てる畑ワサビがあります。

古くから日本の料理に使用され、今や家庭の香辛料として定番ですが、刺身や寿司に庶民の間で使うことができるようになったのは江戸時代後期からのこと。

ワサビは香り成分によって胃を健康にします。食欲不振を改善し、殺菌による防腐作用や、鎮痛作用もあります。

殺菌作用が非常に強いのも特長。寿司にワサビを使うのは、風味のためだけでなく、腐敗防止のためでもあります。

MEMO

ワサビの辛さが多くの効能をもつ

ワサビには、アブラナ科の植物がもつ「シニグリン」という成分が含まれています。ワサビをすりおろす時に、このシニグリンが 酸素に触れることで、アリルイソチオシアネート（イソチオシアン酸アリル）が発生し、ワサビの辛味成分となります。この辛味によって虫などから身を守っています。この辛味成分が、強い殺菌、鎮痛作用を発揮し、塗布することでリウマチや扁桃炎、神経痛に効果があるとされています。

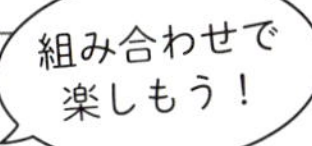

マグロ×ワサビ

マグロステーキ

マグロは体を温めますが、寿司など生の料理は体を冷やすので、体力を回復したいときは、ステーキにしてワサビ醤油でさっぱりと食べるのがおすすめです。ワサビの香味成分で食欲を増進させ、マグロが気血を補うため体力を回復する作用をうまく取り入れられます。

マグロは色鮮やかでドリップが出ていないものを選びましょう

おなじみの調味料「マスタード」の原料

洋からし

**私たちが利用する洋からしは、
マスタードまたはホワイトマスタードといい、
薬膳では白芥子（しろがらし）として利用します。**

DATA【別名】ホワイトマスタード　【科名】カラシナ（アブラナ）科　【使用部位】種

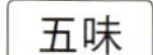

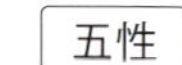

五味 辛　五性 熱　帰経 肺 胃

おすすめの
利用法

種はそのまま漬け込みの調理に。潰したものや、粉末の場合は40～50度のぬるま湯で練り、マスタードの原料として、またはソースの材料として利用します。

洋からしの粉末を練る場合、食べる直前に作れば風味が失われません。酢を足せば調味料としてのマスタードになります

期待できる
効能

**胃の調子を整えたり、
体を温めて痰の分泌を改善し、
肺を温めて咳を和らげます。**

神経痛などの緩和。胃を整え、咳を抑える作用も

洋からしは、地中海沿岸や中国が原産。日当たりがよく肥沃な土地に野草として分布し、現在ではマスタードの原料として世界中で栽培されています。中世ヨーロッパでは、洋からしのもつ防腐作用を利用してワイン作りをするなど、庶民の間で唯一よく利用されたスパイスです。

薬膳の効能では、神経痛などを緩和、胃を整える作用があります。体を温めることで肺を温め、痰の分泌を改善、この方法を温化寒痰といいます。

外用では、鎮静剤として用います。粉末を酢で練り、皮膚に直接塗布する方法がありますが、刺激が強いため肌が弱い人には不向きです。

MEMO

日本の和からしは見た目も効能もそっくり

洋からし、マスタードの「しろがらし」は高さ1～1.5mに成長し、春に黄色い花を咲かせます。夏に種を収穫し、日干しをして、さやから種を取り出します。日本で繁殖している和からし「カラシナ」は、洋からしのしろがらしとは別種。ただし、和からしも効能は似ており、鎮痛作用や、痰を取り除く作用があります。

組み合わせで楽しもう！

豚肉×洋からし

薬味

豚肉の五味は甘、鹹で滋養強壮、便通をよくします。帰経は脾、胃、腎。脾は食べ物の栄養を体に巡らし、腎はエネルギーを貯蓄します。脾、腎とも体の水分を調整します。洋からしで胃を整え、豚肉で栄養を補うため、相性のよい組み合わせです。

洋からしは炒って合わせると風味がより豊かに

CHAPTER2

04

SPICE

体を温め食欲増進に効果的

コショウ

**コショウは古くから世界中で利用され、
どの国の料理でもよく使われる調味料のひとつ。
辛味が強いので、少量の使用で十分です。**

DATA【別名】ペッパー 【科名】コショウ科 【使用部位】実

五味 辛 五性 熱 帰経 胃 大腸

 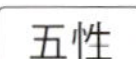  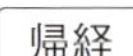  

リフレッシュ 消化 水分調整 整胃腸 活力UP 温める 清熱 リラックス うるおす 活血 消毒殺菌 その他

                  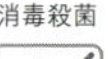   

おすすめの 利用法

黒コショウなら粗挽きまたは粉末で使用します。味を引き締め、素材を引き立てます。肉、魚料理やさまざまな調理に利用します。

コショウの風味は挽きたてが一番よく、食べる直前や調理をする時に挽くとよいでしょう。粗挽きから中挽き、粉末と細かさで風味が変わります

期待できる 効能

**強い辛味で食欲を増進し、
胃や大腸を温めて消化不良の改善など
胃の調子を整えます。**

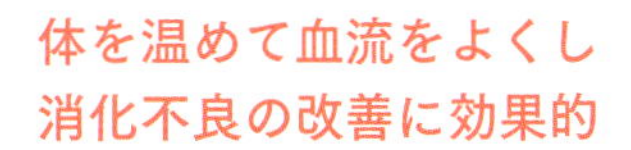

体を温めて血流をよくし 消化不良の改善に効果的

コショウは東南アジアが原産で、現在でも世界の生産量の大半が東南アジアで栽培されています。

コショウは黒、白、グリーンと数種類が販売されていますが、同じ植物で、収穫の時期で色が異なります。

黒コショウは、コショウの実が未成熟の段階で収穫し、日干しにしたもの。食欲増進の作用がある辛味は、白コショウより黒コショウのほうが勝ります。

薬膳では、五性が体を温める「熱」であることから、血流をよくし、新陳代謝を高めます。消化促進作用があるため消化不良を改善、また下痢の症状にも適応するため、胃や大腸の調子を改善します。

MEMO

「温胃散寒」の治癒方法

「温胃散寒」とは腹部を温めることで、腹痛を抑えるという治療方法。外部からだけでなく、お腹の中から温める場合は、五性が「温」「熱」のものを選びます。ただし、コショウは「熱」であることから、体を強く温めます。のぼせ、ほてり気味の人は量を控えましょう。

別種としてヒハツ（ロングペッパー）やコショウボク（ピンクペッパー）も料理によく使われます

組み合わせで楽しもう！

牛肉×黒コショウ

夏バテ防止に

牛肉は、コショウと同じ温性で、体を温め、食欲を増進し胃腸を改善することから、倦怠感、無気力感の改善を促します。黒コショウで風味を付けた牛肉の温かいスープは、肉の臭みを消してスパイシーな味わいに。冬の冷え性対策に効果的です。材料は、牛すね肉などがおすすめです。

コショウのほか発汗作用のあるネギ（P.74）の青い部分を肉の臭み消しと合わせて使うのも◎

CHAPTER2

05

HERB

強い殺菌力で気管支のトラブル、風邪の予防に効果的

タイム

古代ローマ時代から利用されてきた歴史あるハーブで、爽やかな香りと、強い殺菌力が特徴です。胃もたれ改善のハーブティーとしてもおすすめです。

DATA【別名】タチジャコウソウ 【科名】シソ科 【使用部位】全草

五味  辛  苦　五性  平　帰経  肺  大腸

リフレッシュ　消化　水分調整　整胃腸　活力 UP　温める　清熱　リラックス　うるおす　活血　消毒殺菌　その他

生命力が強く、群生します。園芸でも育てやすい品種です

おすすめの
利用法

肉や魚料理の臭み消しや防腐の役割、風味付けとして。ハーブティーで飲む時は、乾燥したタイムの葉小さじ 1 に対し、200ml のお湯で煎じます。

パウダー

ホール

期待できる
効能

抗菌作用で風邪を予防し、咳を鎮める効果も。また、消化を促し、胃の調子を整えて健康にします。

強い殺菌力で食中毒を防ぎ、胃もたれの改善に効果的

タイムは地中海沿岸が原産で、小さな花を咲かせます。5、6月に採取し、水洗いして使用します。園芸用品としても販売されており、育てやすい植物です。

調理では枝葉を生のままか、葉を乾燥させたもの、粉末にしたものを使います。

タイムの成分にあるチモールは食中毒の元、黄色ブドウ球菌やO-157などの病原体でもある大腸菌に対しても、非常に強い抗菌力があります。殺菌力の高さから、肉や魚の臭み消しだけでなく、風邪の予防、食あたりの予防としても。

また、消化を促し、食べ過ぎによる胃の不快感がある時に、ハーブティーとして飲むのも改善につながります。

MEMO

大人の咳にはストレス解消が効果的

大人の喘息の原因のひとつにストレスが考えられています。ストレスを受け続けると免疫力が落ち、自律神経が不安定になったり、喘息を発症することも。タイムは、ストレス性の喘息や、急性気管支炎、百日咳などになりがちな人におすすめです。心身の疲労回復などによく、気持ちを落ち着かせ、強い殺菌力と合わせて咳を鎮めます。去痰効果もあり、百日咳の緩和にも有効。咳に効くペパーミントなどのハーブと合わせたハーブティーなどがおすすめです。

組み合わせで楽しもう！

ハマグリ×タイム

ハマグリの酒蒸し

ハマグリは体を冷まし、咳を鎮める効果があることから、タイムとの相性が抜群。酒と合わせることでハマグリの臭みを抑えるとともに、風味を一層引き立てます。味付けはハマグリのもつ塩味で十分ですが、好みで軽く塩をプラスしても。咳が辛い人におすすめの献立です。

枝葉ごと一緒に酒蒸ししましょう

CHAPTER2

06

HERB

血行をよくして脳の活性をあげ、若返りに効果的

ローズマリー

臭み消しの定番ハーブ、ローズマリーは脳を活性化させ、体の酸化を防ぐ抗酸化作用もあり「若返りのハーブ」ともいわれます。

DATA【別名】マンネンロウ 【科名】シソ科 【使用部位】葉

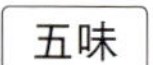

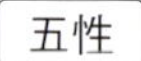

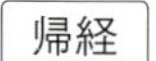

リフレッシュ 消化 水分調整 整胃腸 活力 UP 温める 清熱 リラックス うるおす 活血 消毒殺菌 その他

おすすめの
利用法

血行を促進し、消化を促して、胃の調子を整えます。抗アレルギー作用や、脳の働きを活性化し、気力を高めます。

生命力が強く、繁殖力も高いため、庭草としても人気

ドライでも香りがしっかりと残るのも特徴です

期待できる
効能

活性、鎮痙、口臭予防などに効果的。老化防止、抗酸化作用が強いのが特徴。消化を促して胃を丈夫にします。

粉末のものは、食材となじみやすく、ほかの粉末のスパイスとミックスする時に重宝します

胃腸を丈夫にし、集中力を上げる

ローズマリーは、地中海沿岸が原産で、日本には江戸時代後期（1820年頃）に渡来しました。生命力が強く、園芸によく用いられる人気の植物です。

清涼感のある香りが特徴で、料理では肉や魚の臭み消しとして利用します。

ローズマリーにはロズマリン酸という成分が含まれており、脳の働きを活性化させ、記憶力や集中力が向上します。

薬膳としての効能は、催眠、鎮静、鎮痛、鎮痙、抗アレルギー（抗炎症）など多くの作用があり、消化を促し、胃を丈夫にします。ただし、妊娠中や高血圧の人は多量摂取や、長期にわたる継続使用を避けましょう。

MEMO

加熱に強い抗酸化作用が特徴

私たちの体の細胞は、アルカリ性だったものが酸化し、劣化することで老化します。脂質の多い食材や、油を多く使った料理を食べると細胞は酸化しやすくなりますが、抗酸化作用の高いローズマリーを使えば、老化防止に効果的です。ローズマリーの主成分のひとつであるロズマリン酸の抗酸化作用は加熱に強く、サラダ油で100度の熱で長時間（約1時間）調理してもほぼ変わらないほど。脂質が多い肉料理と相性のよいハーブです。

組み合わせで楽しもう！

サバ×ローズマリー

サバのソテー

サバは栄養価が高く、血液をサラサラにするEPA、脳によいDHAを多く含みます。ローズマリーも脳を活性化させることから、サバの臭みを抑えるだけでなく、老化を防止し、気と血を補ってやる気を出す一品になります。葉を刻んだりパウダーを使って炒めましょう。

クミンなどをプラスしたりカレー風味にしても

CHAPTER2

07

HERB

抗酸化作用が強く、不老長寿のハーブという呼び名も

セージ

古代ローマ時代から免疫を補う薬草として利用され、殺菌力の強さから肉や魚の防腐、臭み消し、口内の炎症を抑える効果があります。

DATA【別名】ヤクヨウサルビア 【科名】シソ科 【使用部位】葉

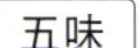   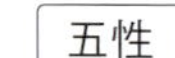     

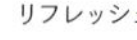   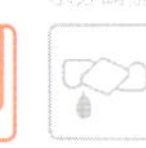                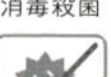  

おすすめの 利用法

主に肉、魚料理の臭み消しに用いられます。肉料理ならハンバーグやソーセージに風味を付けます。ソースに使用することもおすすめです。ハーブティーやうがい薬などにも用います。

料理に混ぜて風味を出す粉末のものも

期待できる 効能

栄養の消化吸収を高めて滋養強壮に。体の熱を冷まし、ホルモンバランスを整え、イライラを改善し、気分を安定させます。

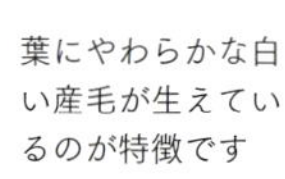

葉にやわらかな白い産毛が生えているのが特徴です

強い殺菌力で
口内のトラブルの改善に効果的

セージは地中海沿岸が原産の多年草で、7～8月に葉のついた枝を採集し日干し、葉を乾燥したものを利用します。葉、粉末状の種類が販売されています。

セージは、殺菌、抗炎症作用（咽頭炎、口内炎、歯肉炎）があり、消化液の分泌を促し、消化を促進させます。心の熱を取ってイライラを安定させ、口内炎や舌の炎症を取り除き、血や水の巡りをよくします。そのほか、ホルモンバランスを整えるため、月経前の不安的な気分も安定させる効能があります。体を冷やし、ほてりや寝汗の改善にも効果的です。生のセージはビタミンCが豊富で、抗酸化作用が高く、老化防止にも役立ちます。

MEMO

炎症を抑える シネオール

セージには、シネオールという成分が含まれています。このシネオールが、去痰・抗炎症・抗菌作用を兼ね備えており、口内のトラブルの改善に作用します。シネオール成分があるハーブは、ほかにもローズマリー、タイム、ユーカリなど。これらを合わせてハーブティーにしてもよいでしょう。

タイム（P.32）

ローズマリー（P.34）

ユーカリ

組み合わせで楽しもう！

タコ×セージ
マリネ

タコの五味は涼、帰経では脾、肝で気や血を補います。また、口内炎の改善に効果的です。タコのマリネやサラダにセージをプラスすることで、口内のトラブルを改善し、体のほてりを冷まし、栄養の吸収をよくします。夏バテなどにも効果的な組み合わせです。

タコは貧血にも効果的です

CHAPTER2

08

HERB

芳香作用だけでなく、繊細な見た目で料理を彩る役割も

ディル

**フェンネルと似て細かい葉が特徴の一年草。
魔除けなどの薬草として、または調味料として、
古代から利用されてきたハーブのひとつです。**

DATA【別名】イノンド　【科名】セリ科　【使用部位】種・葉

五味	—	五性	—	帰経	—

リフレッシュ　消化　水分調整　整胃腸　活力UP　温める　清熱　リラックス　うるおす　活血　消毒殺菌　その他

おすすめの
利用法

生の葉は、生魚の付け合わせや、マリネなどの漬け込みに。種はスパイスとして利用します。

期待できる
効能

**解毒、利尿作用があり、デトックス効果も。
独特の香りから食材の臭み消しだけでなく、
咳を抑えて、胃を整える効果もあり。**

ディルの種の粉末（ディルシードパウダー）と、種（ホール）も流通しています

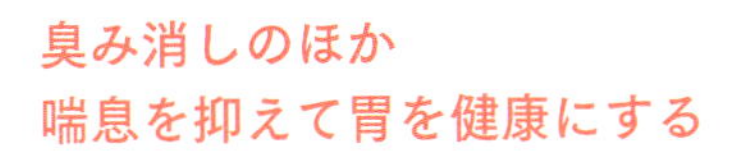

臭み消しのほか喘息を抑えて胃を健康にする

ディルは古代エジプトで薬草として栽培され、新約聖書にも登場し、古くから価値のあるハーブとして利用されてきました。一年草で、フェンネルに似た細い葉をもち、小さな花を咲かせます。利用する部位は葉や種で、種は実のまま乾燥させたものや、細かくした粉末をスパイスとして利用します。

種は漢名で蒔羅子（じらし）と呼ばれ、喘息を抑え、胃を健康にし、解毒や利尿の作用があります。葉には、特有の香りによって胃を整える作用があり、肉や魚料理の臭みを消すハーブとしても用いられます。清涼感があり、ハーブティーなどにもむいています。

MEMO

葉がソックリ！フェンネルとの違い

ディルと葉の見た目がソックリのフェンネル（P.50）は、同じセリ科で、葉が繊細で細かいという特徴をもっています。ディルと見分けるポイントは、茎と葉の香り。茎はフェンネルのほうがやや硬くて太く、葉の香りはディルのほうが強いのが特徴です。

ディルはフェンネルよりも葉が細かく繊細で、やわらかいのが特徴です

組み合わせで楽しもう！

スズキ×ディル

スズキのソテー

スズキは心、脾、胃、肝、腎と多くの帰経をもち、気と血を補い、不眠や貧血にも効能があり、風邪をひきやすかったり、パワー不足の人におすすめの食材です。スズキはやや臭みが強い個体がありますが、ディルと合わせることで、臭みを消して食べやすくなります。

薄造りにし、カルパッチョにしてもおいしい

CHAPTER2

09

SPICE

血行を促進し、胃腸の消化機能を高める

八角

星のような形が美しい実。
東洋的なスパイスのうちのひとつ。独特の風味をもち、中華料理に欠かすことができない存在です。

DATA【別名】スターアニス【科名】シキミ科 【使用部位】実

五味  辛  甘 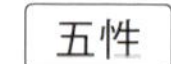 五性  温  帰経  脾  腎  胃

リフレッシュ 
消化 
水分調整 
整胃腸 
活力 UP 
温める 
清熱 
リラックス 
うるおす 
活血 
消毒殺菌 
その他 

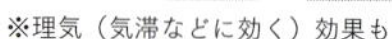
※理気（気滞などに効く）効果も

おすすめの
利用法

粉末の八角をカレーにひとふりしてみましょう。肉の臭みをとる効果があるため味がまろやかになり、いつもとはひと味違う薬膳料理のような仕上がりになります。

中国の混合香辛料「五香粉」の原料のひとつで、八角の粉末はスターアニスパウダーとしても市販されています

期待できる
効能

体を温め、新陳代謝を活発に。
胃腸を温めることで溜まったガスを排出します。
足腰の重いだるさの改善にも効果的。

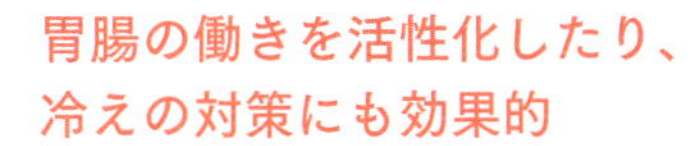

胃腸の働きを活性化したり、冷えの対策にも効果的

八角の主な産地は中国とベトナムです。実がなるまでには種を蒔く、または新苗を植えてから6年の歳月を必要とし、その後100年にわたって実をつけます。完熟前の実をもいで、種を除いた果皮を乾燥させてスパイスとして利用します。

薬膳としての効能は、体を温めて新陳代謝を活発にすること。胃腸の働きを高めて消化を促進することで、体内に溜まったガスを排出する駆風作用も。そのほか、足腰が重いなどだるさの解消、冷えの対策に効能があります。また、殺菌抗菌作用があるため、咳止めや風邪薬として用いられます。気の巡りをよくするのでイライラや憂鬱な気分の改善にもよいでしょう。

MEMO

独特の甘い香りが気の高揚をもたらす

八角は甘くスパイシーな独特の香りが特徴です。香りの主成分は「アネトール」といい、気の巡りをアップさせてイライラを取り除き、気持ちを安定させる効果があります。また、気分の落ち込みや憂鬱感の改善も期待できます。そのため石けんや歯磨き粉、チューインガムの香料としても使われることが多いようです。16世紀末に中国からヨーロッパに伝わり、芳香がアニスによく似て星型をしていることから、英語名がスターアニスとなりました。

豚ブロック肉×八角

豚の角煮

組み合わせで楽しもう！

豚の角煮を作る際に八角をひと粒入れるだけで、ぐっと本格中華の味に。八角には消化促進の効能があるので、胃もたれを防ぎながら豚肉の栄養をとることができます。豚肉は気血を補い滋養強壮に効果的。体力がない時によい組み合わせです。

豚の角煮に八角を入れて中華風にアレンジ

CHAPTER2

10

SPICE

体を温めて、消化機能を促進

クローブ

**クローブの名前は「釘」に由来し、
かわいらしい姿と甘く濃厚な香りが特徴的なスパイス。
胃腸を整え、食欲増進効果も期待できます。**

DATA【別名】ー 【科名】フトモモ科 【使用部位】蕾

五味 辛　五性 温　帰経 胃 腎 脾

リフレッシュ　消化　水分調整　整胃腸　活力UP　温める　清熱　リラックス　うるおす　活血　消毒殺菌　その他

おすすめの 利用法

シチューや角煮などの煮込み料理に加えると、脂のしつこさを解消し、さっぱりとした味わいの仕上がりに。食材に切り込みを入れてクローブを差し込んでおくと、調理後に取り除きやすく、便利。

粉末状のものは、肉料理の香り付け、ケーキや焼きリンゴなど、お菓子作りにも使用されます

期待できる 効能

体を温めることで胃腸の機能を高め、
冷えから生じる諸症状を改善。
強力な抗菌効果、鎮痛、解毒作用も。

胃腸薬、口臭予防として珍重された

クローブは、熱帯多雨地域が原産の常緑樹です。完全に成長するには20年かかり、その後は50年にわたって実り続けます。収穫は夏と冬の年2回行い、開花直前の熟した蕾が最も適しています。

クローブは2世紀ころ中国からエジプトのアレクサンドリアへ伝わり、ヨーロッパへ広まりました。胃腸薬、口腔清涼剤などとして珍重され、その後クローブの貿易をめぐった激しい争いが展開されました。

日本にも古くから伝わり、正倉院の御物の中に納められています。薬膳の効能は、胃腸を温めることから消化の促進、お腹の張りによる不快感を改善し、食欲不振や吐き気や下痢の改善に有効です。

MEMO

歯医者を連想する独特の香り

クローブはオイゲノールという成分を多く含み、抗菌消炎のほか鎮痛作用に優れています。そのほか、局所麻酔としての効能もあり、歯科でも用いられています。クローブが歯医者の香りとして知られているのはそのためです。同時に頭痛を鎮める効果もあるため、虫歯の痛みを和らげるのにもよいでしょう。また、口臭消しやうがい薬としても活用できます。古代中国では皇帝に謁見の際、クローブを口に含んで口臭を消したといわれています。

組み合わせで楽しもう！

オレンジ×クローブ

ジャム、焼き菓子

肉料理はもちろんのこと、クローブはフルーツとの相性が抜群です。オレンジと組み合わせてジャムやデザートにしたり、紅茶に添えたりして風味を豊かにします。体を温める作用があるので、北欧など寒い地域では暮らしの中に上手に取り入れられています。

オレンジに刺す香りのお守り「ポマンダー」

CHAPTER2

11

SPICE

冷えを改善して痛みを緩和、胃をいたわる

サンショウ

麻婆豆腐でおなじみのするどい辛さのサンショウは、葉、実、花とさまざまな部位を使用します。胃を活発にして胃痛や腹痛に効果的な薬草です。

DATA【別名】セシュアンペッパー、ハジカミ　【科名】ミカン科　【使用部位】果皮・実・葉

五味  辛　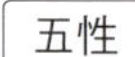 五性  温　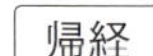 帰経  脾  肝

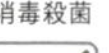

おすすめの
利用法

葉を使用する場合は、直前に手の平にのせて叩くと、組織が壊れて香りをより引き出すことができます。乾燥させたものは香辛料や薬味として使用します。漢方薬にも用いられます。

生の実は瓶詰めで市販されています。魚の臭み取りとして利用します

期待できる
効能

胃腸を温めて、腹痛や痙攣を改善し、下痢を緩和。鎮痛効果があり、打撲などの痛みを軽減します。

粉末は空気に触れると風味を損なうので、食べる直前に使用します。ミックススパイスのひとつにするのもおすすめです

ツンとした辛味が胃の働きを活発にする

サンショウは朝鮮半島、中国、屋久島までのほぼ日本全土に分布します。生産量は和歌山県が最多で、高知県、京都府と続きます。

サンショウには雄と雌があり、実がなるのは雌株です。若芽は「木の芽」、黄色い花が咲いて「花山椒」、青い実は「青山椒」、とすべての部位が利用されます。辛味成分のサンショールが体を温めて冷えを解消し、胃の働きを活発化させます。

薬膳の効能は、胃腸を温めて、腹痛や下痢を抑えます。ほかにも、芳香成分により、胸のつかえや吐き気の改善にも有効です。

「花椒（かしょう）」は中国料理によく登場するスパイス。中国山椒ともよびます

MEMO

サンショウと鰻の相性は理にかなった組み合わせ

昔から夏の土用といえば鰻（ウナギ）。この時期は湿気が多く、胃腸が弱りやすくなります。そのため昔から栄養満点の鰻を食べて乗り切ってきました。しかし、そのままでは脂っこくて消化が悪いため、サンショウをふりかけてさっぱりした口当たりにし、サンショウの効能で食べやすくしています。サンショウには湿気を払い、胃腸をいたわりつつ、さらに食中毒予防の効果もあります。

組み合わせで楽しもう！

味噌×サンショウ

木の芽味噌

サンショウは、収穫後の保存期間が短く、傷みやすい食材ですが、味噌と一緒に加工することで長期保存が可能です。味噌の原料の大豆は、コレステロールを低下させ動脈硬化を予防します。薬膳としては消化不良の改善や、体内の余分な水分を除去する効能も。

木の芽は４～５月が旬です

CHAPTER2

12

SPICE

体を温める作用に優れ、血の巡りをよくする

唐辛子

辛味成分が体の中心部を温め、消化を促進させます。交感神経を刺激するので発汗作用をもたらし、体脂肪の燃焼や冷え性の予防改善にも期待できます。

DATA【別名】カイエンペッパー、チリペッパー、チリ　【科名】ナス科　【使用部位】実・葉

 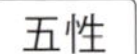  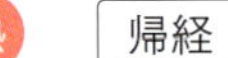    

五味　辛　五性　熱　帰経　心　脾　胃

リフレッシュ　消化　水分調整　整胃腸　活力UP　温める　清熱　リラックス　うるおす　活血　消毒殺菌　その他

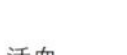  

おすすめの
利用法

血行を促進し、代謝をよくすることで老廃物の排出を促します。そばやうどん、汁物などにふりかけて手軽に摂取してみましょう。脂肪燃焼効果も見込めます。

生のままで利用したり、乾燥させればと保存も効きやすくなります。粉末、輪切りなど調理に合わせて利用します

期待できる
効能

食欲を増進して、胃もたれを改善します。発汗作用による脂肪燃焼効果や疲労回復効果も高いスパイスです。

体内の余計な水分を排出し、むくみの改善に効果的

唐辛子はアメリカ大陸固有の植物で、コロンブスが発見し、その後ヨーロッパをはじめ世界中へ広まりました。現在ではインドを筆頭に、中国やタイなど広い地域で生産されています。

熟す前のものは青唐辛子、完熟したものは赤唐辛子とよばれます。一般的に赤くなるほど辛味が強くなり、種類によって辛さのレベルは異なります。

薬膳の効能は、体を芯から温めて、胃腸を活発にし、消化促進、食欲を増進させます。発汗作用によって、体内の余分な水分を排出します。体を強く温めるため、ほてりやのぼせがある人は、なるべく摂取することを避けるとよいでしょう。

MEMO

直接食べなくても効果あり

唐辛子は経口摂取する以外にも、そのまま皮膚に塗布して体を温めることもできます。カプサイシン自体は外用しても直接血管を拡張する効果は得られませんが、痛覚・高温などを感じる器官を刺激するので、血液の循環がよくなります。そのため経口摂取したときと近い効果を得ることができます。靴下の中などに唐辛子を入れたり、アルコールに抽出したものを塗布したりして活用します。その際、皮膚に疾患がある場合は、使用は厳禁です。

唐辛子×オリーブオイル

組み合わせで楽しもう！

唐辛子オイル

唐辛子をオリーブオイルに漬けて唐辛子の成分、カプサイシンを抽出することで、オイルの風味・おいしさをグンとアップさせます。いつもの料理に辛味のアクセントを加え、減塩効果も狙えます。ドレッシングにしたり、パスタに加えたりと、手軽な取り入れ方を工夫してみましょう。

相性は◎。空き瓶などで漬け込みましょう

CHAPTER2

13

SPICE

体を温め、発汗作用で水分を調整する

ショウガ

ショウガは体を温めることはよく知られていますが、併せて解熱作用や吐き気を抑える効能も。咳、鼻水と下痢の改善など胃腸風邪にも有効です。

DATA【別名】ジンジャー　【科名】ショウガ科　【使用部位】根茎

五味 辛 　 五性 温 　 帰経 脾  胃  肺 

リフレッシュ　消化　水分調整　整胃腸　活力UP　温める　清熱　リラックス　うるおす　活血　消毒殺菌　その他

おすすめの
利用法

皮付きのままスライスして肉や魚料理に使用して臭み取りに。皮を剥き細かく刻んだり、すりおろして薬味としても使います。

手軽に使える粉末も調理に便利

期待できる
効能

殺菌作用、臭いを抑える矯臭作用など。体を温め、消化を促し食欲増進、冷えによる腹痛や下痢の防止にも。

ショウガは皮を剥いてすりおろしたり、煮付けなどでは皮付きでスライスにして利用しても

発汗作用で解熱、体を温め新陳代謝を UP ！

ショウガは熱帯アジア原産、中国や日本では古代より栽培されていた作物です。現在では通年流通されていますが、ショウガの旬の時期は9～11月。

体を温めることから、胃腸を活発にして胃を健康にします。食欲不振の改善や、下痢や吐き気を抑えます。また、体が温まり、血行を促進することで、新陳代謝の改善や、冷え性の対策にも効果的です。発汗作用で風邪のひき始めの悪寒や解熱、節々の痛みを緩和します。発汗、利尿作用でむくみの改善にも効果的です。肺を温めることから、冷えによる咳にもよいでしょう。寒さや冷えによる体調不良の改善に効果が高いのが特徴です。

MEMO

魚の生臭さを抑え、殺菌効果も高い

ショウガは、臭み消しや殺菌作用を利用して悪くなりやすい生魚によく使われます。刺身は体を冷やす性質があるため、ショウガの体を温める性質をプラスすることで、体を冷やさずお腹の調子を整えることができます。料理や食材との組み合わせでバランスよく扱いましょう。

栄養満点の青魚はやや臭いが強いため、ショウガとの相性がぴったりです

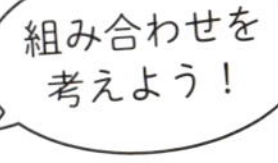

紅茶×ショウガ

ショウガティー

夏場はクーラーによる冷えなどにより、体を動かす習慣が日常的にないと、代謝が落ちやすいもの。普段飲んでいる紅茶にショウガの絞り汁を入れるだけで、体の芯から温まり、新陳代謝もUP。ショウガは入手しやすく、薬膳茶のスタートとして試しやすいので、気軽に試してみましょう。

風邪のひき始めにも

CHAPTER2

14

SPICE/HERB

胃腸を温め、消化を助ける。胃痛やお腹のハリを改善

フェンネル

**遥か古代エジプトより愛され続けているフェンネル。
イライラする気分の緩和、冷えや胃に効果があり、
スパイシーで甘い香りが特徴的です。**

DATA【別名】ー【科名】セリ科 【使用部位】実・葉茎・種

五味 甘 辛 五性 温 帰経 肝 脾 腎 胃

リフレッシュ 消化 水分調整 整胃腸 活力UP 温める 清熱 リラックス うるおす 活血 消毒殺菌 その他

※理気（気滞などに効く）効果も

おすすめの 利用法

アニスなどとブレンドして、ハーブティーにするのがおすすめです。熱湯でフェンネルの成分が抽出されるため取り入れやすく、甘い香りに気持ちがそそられます。インドでは口臭対策や口直しとして、食後に実をそのまま噛む習慣があります。

葉や茎もハーブ、食材で用いられます

種を乾燥させたものや、粉末状のものもあり、料理に合わせて使用します。長時間煮込む場合などは香りが強いホールを使用するとよいでしょう

期待できる 効能

**体を温めて胃腸の働きを高め、
健胃作用として嘔吐回復、腹痛回復のほか、
鎮痙作用があり、痰を除去します。**

香りが八角と似て、胃を活発に、食欲を増進させる

フェンネルは、古代エジプトやローマでも栽培され、ローマ人は料理に使い、中国では薬草として利用していました。さまざまな国で多様に使われ、史上最古の作物のひとつとされています。

日本に入って来たのは明治初期。日本産のものは最高級とされており、主な栽培地は北海道、長野県、鳥取県です。

フェンネルは、精油成分が八角（P.40）と同じアネトールのため、香りや胃腸の働きを促すなど効能が似ています。

薬膳的な効能は気を巡らせてイライラの緩和、ガスが溜まった膨満感の改善。胃のハリなどを緩和し、胃腸を元気にして、食欲を増進させる効能もあります。

MEMO
生の葉はハーブとして利用

「魚のハーブ」とよばれるフェンネルの若い葉は、香りを生かして魚料理やスープに、たまねぎのような茎はサラダや煮込み料理などの香味野菜として使われます。実はスパイスや生薬にと、大きな活躍をみせます。ピクルス、カレー、リキュールなどの風味付けなどにも使われています。フェンネルの実は女性ホルモンに働きかけて母乳分泌を促しますが、胎児への影響を避けるため、妊娠中の利用はしないように。

組み合わせを考えよう！

サーモン×フェンネル
サーモンの香草焼き

魚の中でもサーモンとの相性が有名です。葉の香りを添えて楽しめるムニエルや、茎と一緒にサーモンサラダにするなど、旬の季節や調理方法によってさまざまな組み合わせができそうです。サーモンも体を温め、フェンネルとの相乗効果で消化をよくします。

サーモンはアンチエイジングにも効果あり

CHAPTER2

15

HERB

独特の香りをもち、栄養価が高い。花言葉は「勝利」

パセリ

**パセリは、栄養価が高く効能も多い、優秀なハーブ。
花言葉は「勝利」で、古代ギリシャでは
競技の優勝者をパセリの王冠で讃えました。**

DATA【別名】オランダゼリ　【科名】セリ科　【使用部位】葉・茎

五味  辛　五性  温　帰経  肝  脾  肺

おすすめの
利用法

葉の部分を魚、肉料理の付け合わせや、ドレッシングに。卵料理やスープに。ポトフやスープに使われる、香草類を数種類糸で束ねたブーケガルニの材料のひとつ。

乾燥させたパセリの葉は、手軽に使えます

期待できる
効能

香りが気を巡らせ、ストレスの改善に。
口臭予防、食欲を増進させて
疲労回復にも効果的です。

ビタミンやミネラルが豊富で血行をよくする

パセリは地中海沿岸が原産で、現在では世界中で栽培されています。葉が縮れたパセリをカールリーフと呼び、平らなものをフラットリーフと呼びます。

パセリは生で付け合わせなどに使用したり、乾燥させてハーブとして使用します。

薬膳としての効能は、口臭予防や特有の香りによる食欲増進、疲労回復の効果や、貧血の改善も期待できます。パセリの辛味は体を温め、発汗作用があり、血を補いつつ血行をよくします。胃の調子も整えます。

MEMO

栄養価が高く、抗菌性に優れる

パセリは小さな葉にたっぷりと栄養が備わっています。ビタミンCが豊富で、ミネラルではカリウム、カルシウム、鉄なども豊富に含まれ栄養価が高いハーブです。鉄分が豊富なため、貧血の改善によいでしょう。生のイタリアンパセリは料理の彩りとして使用されていますが、大腸菌に対する抗菌性が高く、加熱していない食材などの付け合わせとしての相性も○。

フラットリーフ(左)とカールリーフ（右）の葉の形状の違い

組み合わせを考えよう！

イワシ×パセリ

イワシの塩焼きパセリ風味

イワシは体を温め、血液をきれいにします。パセリと合わせることで、相乗効果で冷え性の対策に効果的です。さらにニンニクをプラスすることで魚の臭みを消しつつ、体を温めるため、イワシとパセリの効果もより高まります。イワシの香草焼きでは、パセリを利用するとよいでしょう。

イワシは抗酸化作用もたっぷり

家庭菜園でも育てやすく人気のハーブ

ルッコラ

**噛むとゴマのような香ばしい香りがする葉のルッコラ。
栄養満点ですが、鮮度を保つのが難しいので、
食べる直前に手でちぎって利用しましょう。**

DATA【別名】キバナスズシロ、ロケットサラダ　【科名】アブラナ科　【使用部位】葉

五味 ―　五性 ―　帰経 ―

おすすめの
利用法

傷みやすいので鮮度が高いうちにサラダなど生で食べましょう。やや辛味があるので少量でも十分風味があります。軽く炒めても風味が残りおいしく食べられます。

春に咲く花。花も食べることができます

期待できる
効能

栄養満点で、血の流れを改善します。
抗菌や解毒作用があり、胃の健康を保ちます。
抗酸化作用で老化防止にも効果的です。

抗酸化作用の効果で活性酵素の発生を防ぐ

ルッコラは地中海沿岸が原産で、見た目は華奢なほうれん草のようですが、キャベツやハクサイと同じアブラナ科。一年草で花をつけます。華奢で日持ちせず、すぐ悪くなってしまうので、調理前日や当日に購入、収穫するのがよいでしょう。

ルッコラは、クレソンのような苦みがあり、ゴマのような風味をもちます。栄養価も高く、カリウム、ビタミンC、Eが豊富で、カルシウムがキャベツよりも3.5倍と非常に多いのも特徴です。胃の健康を保ち、ワサビとカラシの辛味成分であるアリルイソチオシアネートを含みます。これによる血流改善や、抗菌、解毒、抗酸化作用が期待できます。

MEMO

葉と種が利用される

ルッコラをサラダやピザに添える時には、独特の香りがより香るように、手でちぎって利用します。なぜ包丁で切らないかというと、ルッコラのポリフェノールと包丁の鉄分が化学反応を起こし、変色してしまうのを避けるため。ルッコラはピザやパスタの彩りや具材としてイタリア料理でよく使われています。パキスタンでは、ルッコラの種からとった油が高価な「Taramira Oil」として流通しています。

組み合わせを考えよう！

レタス×ルッコラ

サラダ

レタスの五性は「涼」で体の熱を冷まします。レタスとルッコラを合わせることで、体を冷やして夏バテの時や、のぼせやほてりなどで体の熱を冷ます献立としてよいでしょう。また、レタスは胃腸の働きをよくして、体の余分な水分を除去するので、むくみの改善にも。

サニーレタスは栄養価が高く夏バテにも◎

CHAPTER2

17

SPICE/HERB

消化器に働きかけ体内環境を整える

コリアンダー

**葉と種とでは香りと味が異なり、
薬膳では種より葉のほうが多く用いられています。
主に胃の健康を保ち、口臭の予防にも。**

DATA【別名】カメムシソウ、パクチー、シャンツァイ、コエンドロ【科名】セリ科【使用部位】種・葉・茎

帰経

おすすめの
利用法

葉の緑色が鮮やかでハリがあり、みずみずしいものを選びましょう。生の香りが苦手な方は、乾燥したものを利用してみましょう。料理に使用する前に軽く煎ると、香りがさらに引き立ちます。

コリアンダーの葉はハーブとして、種はスパイスとして利用されます。葉と同様、独特で爽やかな香りと風味を料理にもたらします

期待できる
効能

体を温めて消化促進、食欲増進のほか、デトックス効果も。葉は抗酸化成分が多く、アンチエイジングにも効果的です。

体を温め胃腸を整えて食欲不振や消化促進に効果的

コリアンダーは地中海沿岸部を原産とするセリ科の植物です。高さは30～80cmになる一年草で、白もしくはピンクの小さな花が咲き、食用・薬用とそれぞれに広く用いられてきました。

古くは紀元前16世紀の医学書である「エーベルス・パピルス」のほかに、聖書の出エジプト記にもコリアンダーの名が記載されています。

薬膳の効能は、体を温めることから胃腸を活発にし、調子を整えます。食欲がない時や、胃が弱まったときの消化不良の改善のほか、胃もたれにも効果的です。また血液浄化作用や体内のガスを排出する駆風作用も備えています。

MEMO

乾燥させて、よりエスニックな香りに

コリアンダーの独特な強い香りの元はセルミンとデカナールという芳香成分です。とくにエスニック料理には欠かせません。しかしこの成分は、乾燥させることでレモンとセージをブレンドしたような爽やかな香りへと変化します。乾燥させた種はすり潰すと、甘くマイルドでオレンジの皮を連想させる香りになります。エスニックで独特な風味になるため、カレーをはじめ、菓子類の風味付けやリキュールなどさまざまな料理に使われています。

組み合わせを考えよう！

エビ×コリアンダー

エビの香草炒め

エビは体を温め、血行不良を改善します。胃腸の働きを高めつつ、炒めることで香ばしさも出て食欲が増進します。コリアンダーと合わせることでエスニックな料理になり、エビとの相性も◎で冷え性改善に。また食欲がない時に気を補い、疲労を回復する一品になるでしょう。

タイ料理では王道の組み合わせ

CHAPTER2

18

SPICE

カレースパイスのひとつ。胃腸を整えて食欲を増進！

クミン

**カレーを連想させる強い香りで、
エスニック料理には欠かすことができないスパイス。
ほのかな苦みを含み、ピリッとした辛味があります。**

DATA【別名】ウマゼリ、ジーラ 【科名】セリ科 【使用部位】種

    温   

五味 辛 苦　五性 温　帰経 肝 腎

リフレッシュ　消化　水分調整　整胃腸　活力UP　温める　清熱　リラックス　うるおす　活血　消毒殺菌　その他

おすすめの
利用法

利用する時は、焦がさないように低温で炒めると香りがより強くなります。単独で使うよりもいくつかのスパイスと合わせて使うことをおすすめします。

クミンは粉末でも香りが強いのも特徴。粉末はカレーなどでほかのスパイスとミックスするのに便利です

期待できる
効能

**体を温めて食欲増進、消化促進し、
膨満感を解消します。
殺菌効果なども抜群です。**

下痢や腹痛を抑え、胃を健康にする

セリ科の一年草で、もともとはエジプトのナイル川上流に原生し、生命力が強く、暑い気候に適した植物です。

食用以外にも薬用植物として使われ、古くはミイラの防腐剤としても用いられてきました。紀元前1400年頃のミケーネ文明でもその形跡があり、アラビアンナイトにも記されているほど。クミンは、辛味がやや強く、カレーをはじめエスニックな料理によく利用されるスパイスです。

薬膳の効能では下痢や腹痛の治療、胃腸内のガスを排出する駆風作用、血を貯蔵し、気を巡らせる肝機能を高めるなどがあります。ほかにも胃腸によく働きかけ、腹痛や消化不良を改善します。

MEMO

強い香りと辛味でミックススパイスの材料に

カレースパイスの基本は、コリアンダー（P.56）の香り、クミンの辛味、ウコン（P.86）の色付け。さらに数種類のスパイスをブレンドしてカレーができあがります。クミンの辛味成分はクミナールといい、消化促進や解毒作用があります。この辛味を利用して、メキシコ料理ではチリコンカーンのスパイスのひとつとして利用されます。量を多く使用するとクミンの独特な香りが強すぎるため、スパイスをミックスするなどして少量で使われます。

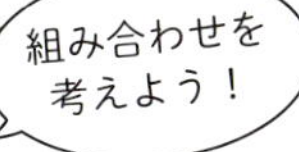

鶏肉×クミン

タンドリーチキン

鶏肉は体を温め、気を補います。とくに胸肉は疲労回復の効果が高いのが特徴です。ヨーグルトを鶏肉にもみ込んで焼くと、インド料理で有名なタンドリーチキンになります。鶏肉にクミンを加えることで、食欲をそそり、胃の働きをよくすることができます。

ヨーグルトを加えると肉がやわらかくなります

CHAPTER2

19

SPICE/HERB

身近な食材で独特な風味が特徴的、リラックス効果も！

セロリ

**肉や魚の臭みを消す身近な食材のセロリは、
独特な香りにストレスを緩和させる効果も。
捨ててしまいがちな葉もしっかり食べましょう。**

DATA 【別名】オランダミツバ 【科名】セリ科 【使用部位】茎・葉・種

五味   甘 苦

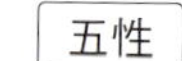 五性  涼

 帰経    肝 肺 膀胱

リフレッシュ	消化	水分調整	整胃腸	活力UP	温める	清熱	リラックス	うるおす	活血	消毒殺菌	その他

おすすめの
利用法

茎はスジをとり、肉や魚、野菜の臭み消しとして。煮込み料理や炒め物、生のままでサラダや、酢に漬けてピクルスなどにも。

粉末は、塩と合わせて。サラダなどにかけると手軽に風味を変え、摂取できます

スパイスとして販売されているセロリシード。セロリの種には鎮静作用があります。妊婦はセロリシードの利用は避けましょう

期待できる
効能

**むくみや便秘の解消や、
ストレスによるめまいや頭痛の緩和に。
体を冷まして気分を安定させます。**

ストレスの緩和、むくみの改善、デトックス効果も

セロリは南ヨーロッパが原産で、一年草または越年草です。紀元前から臭い消し、古代ローマでは整腸剤、強精剤などで利用されていました。薬草としてフランスから中国へ、そして戦国時代の15世紀に日本へ渡ってきました。

薬膳としての効能は、静熱作用で体の熱を冷ますことで、気の巡りがよくなります。これにより、ストレスによるめまい、高血圧の改善、むくみの解消などにも効果的です。また、セロリにはカミツレ（P.106）と同じ成分が含まれており、リラックス効果もあります。セロリの香りには、ストレスを緩和させる成分があるので、情緒不安定な月経前などに食べるとよいでしょう。

MEMO

葉には栄養も効能もたっぷり

セロリの葉にも、気を静めてイライラを解消する効能がたっぷり。つい茎ばかり使用してしまいがちですが、葉には栄養分もたっぷりとあり、βカロテンやビタミンB、食物繊維も豊富で便秘改善によく効き、お肌の調子を整えます。細かく刻むと食べやすくなります。

細かく刻んでスープに入れたり、炒め物に利用できます

組み合わせで楽しもう！

アサリ×セロリ

貝の煮込みスープ

アサリはセロリと同様に体の熱を冷ますので、のぼせ、むくみなどの体のだるさをなくします。イライラしがちな時期や、ストレスが多い時にセロリとアサリの組み合わせでスープにしたり、炒め物にするとよいでしょう。相乗効果でストレスを緩和し、頭痛の改善にも効果的です。

味付けはアサリのもつ塩分だけでも十分です

CHAPTER2

20

HERB

爽やかな香りが肉や魚料理の風味をよくする

バジル

イタリア料理でおなじみのバジル。
日本では甘い風味の「スイートバジル」がおなじみです。
調理だけでなくハーブティーとしてもおすすめ。

DATA【別名】バジリコ、メボウキ 【科名】シソ科 【使用部位】葉・花（花穂）・種

五味  甘  辛　五性  温　帰経  肺  脾  胃

消化　水分調整　清熱　リラックス

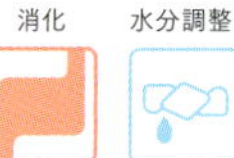

おすすめの
利用法

生の葉は、肉、魚料理の付け合わせ、薬味として。ドライは風味付けとしてスープや炒め物に。

やわらかく、グリーンが鮮やかな葉を多くつけます

粉末にしたものも流通しています。香り付けやミックスハーブに利用しましょう

悪くなりやすいバジルも、ドライにしたものなら手軽に利用できます

期待できる
効能

消化の促進、胃炎の改善など胃の健康に、
また憂鬱感、不眠症の改善にも。
さらに風邪、気管支炎の予防に効果的です。

爽やかな香りで不安やイライラを取り除く

インド、アフリカが原産で、イタリア、フランス、ドイツからエジプト、中国などに広く分布しているバジル。交配が進み、現在では150種類といわれています。その中でも多く流通しているのが、葉を噛むと甘いスイートバジルです。

薬膳としてのバジルは体を温め、生の葉は爽やかな香りが強く、消化を促進します。ハーブティーにして飲むことで胃を整え、胃酸過多や胃炎の改善も。不安やイライラなどの改善にも効果的です。

また、バジルは葉に、ビタミンEやカロテンを含み、これらは抗酸化作用の強いカロテノイドです。老化防止や美容に役立ちます。

MEMO

日本でのバジルの役割は「目薬」だった

バジルが日本に輸入されてきたのは江戸時代。バジルの種（バジルシード）は、水につけるとゲル化して何倍も増量するため、目の中のゴミ取りとして利用されていました。そのため、バジルの和名は「メボウキ」と呼ばれるようになりました。

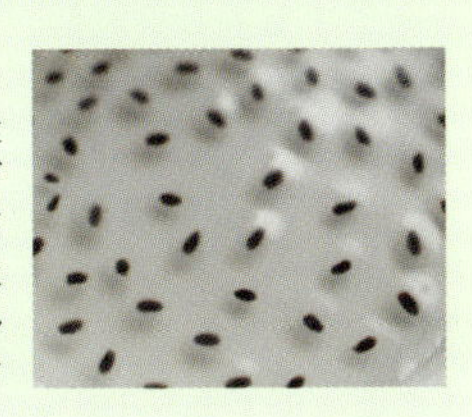

バジルシードは食物繊維が多く、デトックス効果が高いのが特徴。種は水につけるとゲル化して膨らみます

組み合わせを考えよう！

生ハム×バジル サラダ

生ハムは豚肉でできており、豚肉は気血を補い、滋養強壮によい食材です。疲労回復として、食欲がない時にバジルの香りで食欲を増進させ、生ハムで栄養をとり体力を回復させます。バジルによって、豚肉をさっぱりとした味わいで楽しむことができ、食欲がなくても食べられます。

生ハムは色が鮮やかなものを選びましょう

CHAPTER2

21

SPICE

胃腸の調子を整えて、滋養強壮に効果的

ナツメ

中国ではポピュラーな香辛料のナツメ。
胃腸の調子をよくし、体を強く健康に保ちます。
美容や老化防止など、女性に嬉しい効能がいっぱいです。

DATA【別名】ー 【科名】クロウメモドキ科 【使用部位】実

五味  甘　五性  平　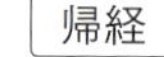 帰経  脾  胃

おすすめの
利用法

スープや鍋に入れる時は、水から煮て戻し、煮汁ごと食べましょう。ぬるま湯で戻し、やわらかくなった実をちぎって、炒め物にも。

中国ではフルーツとしてメジャーなナツメ。日本では乾燥させたものがドライフルーツとして流通しています

期待できる
効能

胃腸の働きをよくして食欲不振や疲労回復、滋養強壮に効果があります。不安な気持ちを安定させます。

女性特有の不安定な気持ちを落ち着かせる効果が高い

ナツメの原産地は、ヨーロッパ南部、そしてアジア西南部です。日本には中国から渡来し、その後日本各地で広く栽培されています。実は、まだ成熟しきっていない9月から10月頃に採集。蒸してから日干しにして乾燥させたものをタイソウといい、漢方に用いられています。

脾胃の働きをよくすることで気血を補うため、怒りやすく、イライラしたり、憂うつ、気持ちが不安定になる時に落ち着かせます。また、不安感などで不眠気味な時にも摂取したい食材です。

女性の月経期間中や、更年期のイライラが発生した時など気分が不安定になりがちな時に摂取するのも効果的です。

MEMO

デトックス作用で老化防止に

中国では「毎日食べると老いない」ともいわれているナツメは、アンチエイジングにも威力を発揮します。胃や肝臓に溜まった老廃物を排出してくれるカリウムが豊富なため、くすみのない美肌に導いてくれます。ナツメは、そのままドライフルーツとしておやつでも食べられますが、皮が固いため、胃に負担がかかる場合も。その場合は包丁で刻んで、湯で煎じて薬膳茶として摂取するとよいでしょう。

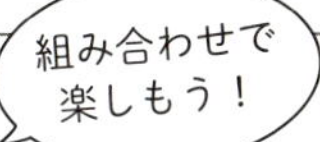

黒糖×ナツメ
薬膳茶

乾燥したナツメ2～3粒をよく洗い、鍋に好みの量の黒糖、スライスしたショウガ（P.48）を入れ、300mlの水が2/3程度になるまで弱火で煮詰めます。黒糖にはショウガと同様体を温める効果があるため冷え性や疲労の改善、血の巡りをよくし、貧血などの改善に効果的です。

煮詰めるとややとろみが出るナツメ茶

CHAPTER2

22

HERB

発汗を促して冷えを取り、胃腸の働きを回復します

紫蘇(しそ)

私たちの食文化に欠かせない紫蘇。
紫蘇は、老化を防止する抗酸化作用が高く、
防腐作用や解毒作用をもっています。

DATA【別名】ー 【科名】シソ科 【使用部位】葉・実

五味  辛　五性  温　帰経  脾  肺

リフレッシュ　消化　水分調整　**整胃腸**　活力UP　**温める**　清熱　**リラックス**　うるおす　活血　消毒殺菌　その他

おすすめの利用法

千切りにして料理の彩りに加えるのはもちろん、刻んだ葉を煮出してお茶にすれば、香りも広がりイライラなども抑えられ、気分の高揚にも効果的です。食用には青紫蘇と赤紫蘇がありますが、生薬では赤紫蘇を利用します。

赤紫蘇は赤色色素のアントシアニンを含むため赤くなります

青紫蘇も効能は同様で、刺身のツマなどによく利用されます

薬味として紫蘇の実も利用されますが、薬膳効能として咳によいとされています

期待できる効能

体を温め、感冒の初期症状の緩和に効果的。
肺の働きをよくし、花粉症など
アレルギーの緩和にも効果的です。

胃の働きをよくし 独特の香りでストレス発散

紫蘇は、中国が原産で、平安時代頃に日本に伝わってきたハーブです。ほかの緑黄色野菜に比べて、β-カロテンの含有量がとても多く、老化防止となる抗酸化作用が高い食材です。

紫蘇特有の香りはシソアルデヒドによるもので、この香りが気の巡りをよくし、イライラやストレスによる食欲不振、胃の不快感、のどのつかえなども改善してくれます。

体の冷えを取り、温めてくれる効果もあるので、風邪のひき始めの悪寒なども改善。解毒作用もあるため、魚貝類などと一緒に食べることで食中毒予防に効果的です。この効果を利用して日本では、刺身のツマなどにも利用されてきました。

MEMO

冷凍保存も可能で常備菜として便利な紫蘇

紫蘇を一度に全部使わずに残ってしまった場合、水気を含んだキッチンペーパーに包んでから、ビニール袋に入れて冷蔵庫で保存しましょう。冷凍保存も可能です。細かく刻んで冷凍庫に常備しておけば、薬味として、料理の彩りが足りない時などにいつでも使用できるのでおすすめです。

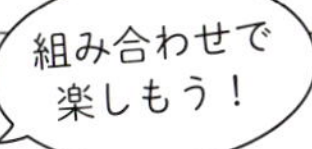

お酢×紫蘇

紫蘇ジュース

紫蘇の葉を鍋で煮出して、砂糖を加えて20～30分煮込み、最後に酢を加えたものを漉して粗熱をとったら、瓶で保存します。飲む時は水で好みの濃さに薄めましょう。紫蘇とお酢は、夏に汗をかいた後やスポーツ後に、あるいは、夏バテしている時におすすめです。

炭酸で割って爽やかな仕上がりに！

CHAPTER2

23

HERB

出血や痛みを抑え、冷えを取り除きます

よもぎ

出血を止め、血の巡りをよくしてくれるよもぎは、日本で昔から親しまれてきた力強い薬草です。冷えとりなど、女性に嬉しい効果もたくさんあります。

DATA【別名】カズザキヨモギ、モチグサ　【科名】キク科　【使用部位】葉

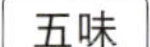  

五味　辛　苦

五性　温

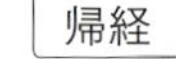   

帰経　肝　腎　脾

        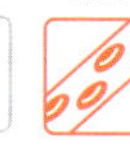 

おすすめの

利用法

天日干しで乾燥させて、粉末にしてよもぎ粉を作り、てんぷら粉に混ぜたりと料理に使用します。草餅やよもぎ餅などもよもぎの葉を使った甘味です。

よもぎの粉は市販もされています。お風呂に入れると体を温める温浴効果もあります

期待できる

効能

止血効果が高く、体を内側から温め、子宮出血や痔による出血、冷えによる月経痛の緩和、滋養強壮にも効果的です。

血の巡りがよくなり
女性特有の不調におすすめ

よもぎは、日本では本州から九州、小笠原諸島などに分布する、野山に自生する力強い多年草の野草。5月から7月頃にかけての、春から初夏に芽吹き、葉をつけます。この頃に収穫された葉がより効果が高いとされています。日本では昔から草餅や、よもぎ茶、よもぎ湯、お灸などとしても親しまれてきました。

薬膳の効能は、出血を止める効果があるため、不正出血や子宮出血、血便や痔の症状を緩和します。止血効果がありますが、血の巡りはよくなり、冷えや月経痛、肩こりなども改善します。ホルモンバランスを整えるため、女性には嬉しい薬草ですが、妊娠中の摂取は避けましょう。

MEMO

もぐさ、よもぎ蒸し、美容効果の高い植物

よもぎは食べたり薬膳茶として飲むだけではなく、外用としても広く活用されています。よもぎの葉の裏面に生えている白い綿毛を集めたものは、もぐさと呼ばれ、お灸の素材となります。また、よもぎは体を内側から温めてくれることから、韓国ではよもぎ蒸しとして、美容に関心がある女性に人気です。よもぎは乾燥すると、老化防止となる抗酸化作用や、ポリフェノールがより高くなるのが特徴です。

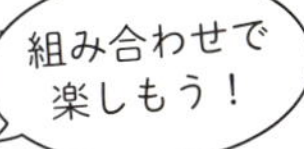

餅米×よもぎ

よもぎ餅

よもぎの葉をすり潰すか、よもぎ粉を使えば餅米、白玉粉などでよもぎ餅を作ることができます。餅米はよもぎと同様、体を温めてエネルギーを補うため、よもぎ餅は冷え性対策としても嬉しいおやつです。よもぎの量は多ければ多いほど、青臭くなるので好みの量で作りましょう。

彩りやくっつき防止にきな粉で仕上げても

夏バテ防止、むくみに効果的な食材

リョクトウ

**リョクトウは、ミネラルが豊富で栄養価が高く、
体を冷やして夏バテの改善をします。
冷暖房によるむくみが気になる人も要チェック。**

DATA【別名】アオアズキ、ヤエナリ、ブンドウ　【科名】マメ科　【使用部位】実

五味  甘　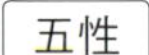 五性  涼　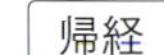 帰経  心  胃

リフレッシュ　消化　水分調整　整胃腸　活力UP　温める　清熱　リラックス　うるおす　活血　消毒殺菌　その他

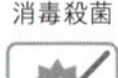

おすすめの
利用法

水でよく洗ってから、１時間ほど水につけ、たっぷりの水で煮てからお料理に使用します。炒め物やスープ、ご飯と混ぜて豆ご飯などレパートリーはさまざまです。

インドではポピュラーなお菓子のリョクトウを揚げたスナック

リョクトウの花。かわいらしい黄色い花を咲かせます

期待できる
効能

**静熱作用で、夏バテ解消に効果的。
口内炎や目の充血、吹き出物などの改善や、
解毒効果が高いのが特徴です。**

余分な水分を排出し、むくみをとる

インドが原産のリョクトウは、日本ではもやしの原料としても使用されています。カルシウム、鉄などのミネラルを豊富に含んだ栄養価の高い食材です。

薬膳としては、体を冷やす作用があるので、夏バテ予防のために、夏の食事に取り入れるのが有効です。また、体内の余分な水分を排出したり、解毒作用もあるので、むくみが気になる人は積極的に取り入れたい食材です。

ただし、冷え性の人は、体が冷えすぎることに注意。体を温める食材のショウガ（P.48）やネギ（P.74）などと組み合わせて食べましょう。水に戻しておき、スープの材料として使うのもよいでしょう。

MEMO

手軽にビタミン摂取 リョクトウもやし

「リョクトウもやし」はリョクトウが発芽して成長し、豆がついた状態のもやし。もやしにはビタミンCをはじめ栄養分がたっぷりとあるうえ、リョクトウ部分にはたんぱく質も備えているためバランスがとれた優秀な食材です。ただし、調理の際は、加熱しすぎると栄養素が減ってしまうので、火が通る程度で止めておきましょう。

ビタミンが豊富なリョクトウもやし。夏バテなどに最適な食材です

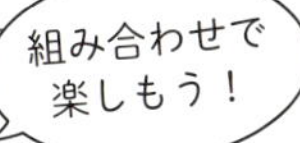

小豆×リョクトウ

小豆入りのハヤシライス

リョクトウと同じく、解毒効果のある小豆と合わせれば、さらに効果が高まります。利尿効果もあり、むくみを解消。毒素を分解してくれるので、口内炎や腫れ物、吹き出物などの改善に効果的です。薬物や食べ物の中毒を解消してくれるのもリョクトウならではの効能です。

イエローライス（P.87）と合わせても

CHAPTER2

25

YAKUZEN

新陳代謝を上げて、美肌効果が期待できる

はとむぎ

**皮膚の保水作用に優れ美容に嬉しい効能をもち、
日々の食事に混ぜてとれば、
お肌トラブルを改善し、美肌へ導いてくれます。**

DATA【別名】ー 【科名】イネ科 【使用部位】実

五味 甘 淡 五性 涼 帰経 脾 肺 腎

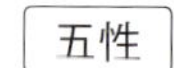

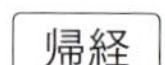

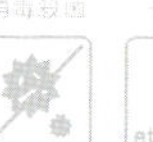

おすすめの
利用法

煎じてハーブティーとして飲んだり、ご飯と一緒に炊いたり、スープやサラダに混ぜたりと幅広く活用できます。パウダーにしたものは、お菓子やパン作りに混ぜて利用するのもおすすめです。

期待できる
効能

**利尿作用があり、デトックスの効能も。
主にイボ取りの民間薬として知られ、
シミ・ソバカスなどの改善に効果的です。**

イネ科のはとむぎはまさしくイネのように穂先に種がなります

体の熱を取り
水分の代謝を促してくれる

日本で古くから栽培されているはとむぎは、中国、インドシナ地方が原産で、南西部の温暖な地域で育てられています。

はとむぎの生薬名は、ヨクイニンと呼ばれており、イボ取りの民間薬として有名です。脾の働きをよくしてくれるため、水分の代謝を促し、体にたまった余分な水分を排出して、こもった熱を冷ます作用があります。ほかにも、むくみ、下痢、神経痛、リウマチなどの症状も緩和してくれる働きがあります。また、美容のハーブとしても知られており、シミやソバカスを改善し、美肌へと導いてくれ、食事に取り入れやすいのも特徴。子宮に影響があるため、妊娠中の摂取は避けましょう。

MEMO

美容に嬉しい効能のはとむぎ

はとむぎは、美肌効果が高く、女性はとくに摂取したい食材ですが、時間があまりない人は、作り置きをするのも手。はとむぎを茹でたものを作り置きしておけば、いつもの料理に混ぜるだけですぐ利用できて便利です。たっぷりの水で1時間ほど浸けておいたはとむぎを、芯がなくなるまで30分ほど煮たらできあがりです。冷凍保存もできるので、スープや煮物、炒め物など日々の料理にプラスして食べましょう。

春雨×はとむぎ
冷製サラダ

組み合わせで楽しもう！

春雨は五性がはとむぎと同じ「涼」。体のほてりを冷ます食材です。ドレッシングに醤油、ミカンの皮（P.76）を香り付けに使うことで、爽やかな香りがベストマッチ。ミカンの皮の帰経に、はとむぎと同じ「肺」があるため、喉が不調の時の副菜としておすすめ。

一晩水につけて豆をやわらかくしましょう

CHAPTER2

26

YAKUZEN

寒けを追い払い、体を内側から温める

ネギ

「風邪をひいたらネギを首に巻く」といわれますが、実際にネギは喉の炎症を抑える効果が高く、体も温めることから風邪の時におすすめです。

DATA 【別名】ヒトモジグサ　【科名】ヒガンバナ科　【使用部位】葉

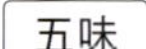
五味  辛　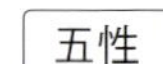 五性  温　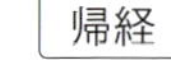 帰経  肺   胃

リフレッシュ　消化　水分調整　整胃腸　活力UP　温める　清熱　リラックス　うるおす　活血　消毒殺菌　その他

おすすめの
利用法

炒め物や焼き物、鍋の具材、薬味にと万能選手の薬膳野菜です。生でも火を入れてもおいしく食べられ、また切り方によって食感も変わるので、飽きません。

期待できる
効能

体を温め、悪寒の緩和、
風邪のひき始めにおすすめ。
炎症による熱や腫れを改善する効果も。

購入する際は、全体がみずみずしく、葉の巻き具合がしっかりとしているものを選びましょう

風邪の初期症状の悪寒対策、喉の不調の改善に効果的

ネギはシベリア、アルタイ地方の原産といわれています。現在では、日本はもちろん、世界中で広く栽培され、食されているなじみのある野菜です。

日本でも古くから風邪に効果があるといわれていますが、それはネギのもつ辛味が気血の巡りを改善して、体を温めてくれるため。体を温めることから、風邪の初期症状に効果があり、寒けを取り除いて、発汗作用で体温を下げ、関節の痛みを和らげてくれます。

また体を温め胃腸を活発にし、消化不良を改善するので、食欲不振の時にもよいでしょう。そのほか、喉の炎症を抑え、しつこい痰を取り除く効果もあります。

MEMO

栄養価が高く体調不良の改善に

風邪の時の代表的な民間療法で、「首にネギを巻いて寝ると治る」などといわれるほど、私たちの生活に根付いているネギ。とくに風邪のひき始めによいとされていますが、栄養価としても体調不良の改善に効果的です。ネギの青い葉の部分は、カロテンやビタミン、カリウム、ビタミンKを多く含むので、葉の先もスープに入れて煮込んで食べることで、栄養素もしっかりとることができます。食欲不振や体調不良のときにこそ積極的にとりましょう。

組み合わせで楽しもう！

鶏レバー×ネギ

鶏レバーとネギの焼き鳥

疲れてエネルギーが出ない時は、免疫力が落ちている状態。ネギで体を温め、免疫力を上げましょう。鶏レバーは体を温め、血を補うため、ネギとの相乗効果でさらに免疫力を上げ、体力を回復させます。また、鶏レバーは貧血の改善にも効果的です。

シンプルで作りやすい焼き鳥

ビタミンCがたっぷりのミカンは、皮まで栄養満点

ミカンの皮

ミカンの皮は、お風呂に入れて香りを楽しんだり、乾燥させて細かくし、スパイスやハーブのように料理にふりかけたり、水にもどして使用できます。

DATA 【別名】ー 【科名】ミカン科 【使用部位】皮

五味  辛  苦 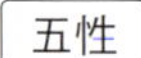 五性  温  帰経  脾  肺

リフレッシュ　消化　水分調整　整胃腸　活力UP　温める　清熱　リラックス　うるおす　活血　消毒殺菌　その他

おすすめの 利用法

そのまま煮込み料理に加えたり、少し水に浸してやわらかくしてサラダにトッピングしても、爽やかな香りになります。お茶にしてもよいでしょう。

実の五味は甘・酸、五性は涼と、皮と異なります

乾燥させたミカンの皮を粉末状にしたものは、七味唐辛子の材料にも使用されています

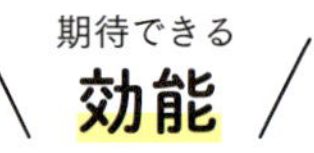

期待できる 効能

ビタミンCを多く含み、風邪の予防に。
気の巡りをよくし、胃腸の調子を整えます。
そのほか新陳代謝をよくする効果もあり。

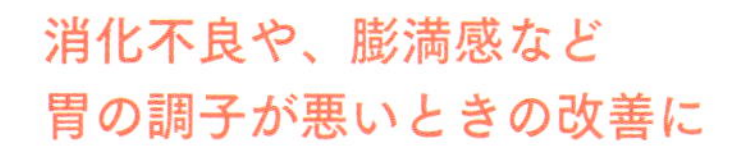

消化不良や、膨満感など胃の調子が悪いときの改善に

ミカンの中でもメジャーな温州ミカンは、中国から渡来した後、日本で改良されたもの。日本では、中部から南部にかけての温暖な地域で広く栽培されています。ビタミンCが豊富なミカンは、免疫力を高めてくれるので、風邪の予防に役立ちます。また、胃の調子を活発にしてくれ、消化吸収もよいので、食欲のない時にもぴったりです。

乾燥させたミカンの皮は、薬膳で用いられ、胃腸と肺の気の巡りを改善するのに効果的。消化不良や膨満感、咳や痰などを解消します。冬場はミカンが手に入りやすい時期。皮を干してお風呂に入れて香りを楽しむのもおすすめです。

MEMO

自宅で気軽に作れる薬膳素材

ノンワックスでよく洗ったミカン、または有機栽培、無農薬のミカンの皮を天日干しして、しっかりと乾燥させ、すり鉢で砕くか、粉砕機で細かくしてみましょう。簡単に割った皮のままでも、粉末状でもそれぞれに料理やお茶として使えます。2種類作って使い分けるのがポイントです。

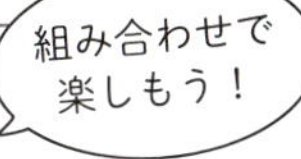

牡蠣×ミカンの皮

牡蠣の炒め物

旬の野菜をバターで軽く炒め、牡蠣の酒蒸しを汁ごと入れて、乾燥させたミカンの皮、塩、コショウで混ぜ合わせます。まろやかな牡蠣をかみしめた時に、ミカンの皮の香りがよい一品。ミカンで消化吸収をよくし、牡蠣は体を潤し血を補うため、体力がない時におすすめです。

牡蠣はイライラを排除して気分を安定させます

CHAPTER2

28

SPICE

大腸や肌を内側から潤してくれます

白ゴマ

普段の料理に親しみやすい食材の白ゴマは、腸を潤してくれることで、便秘などにも効果があり、お肌の潤いもアップします。

DATA 【別名】セサミ 【科名】ゴマ科 【使用部位】種

五味 甘　五性 平　帰経 脾 肺 大腸

     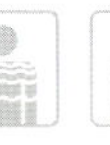     

おすすめの
利用法

ゴマはそのままふりかけるよりも、すりゴマや練りゴマとして食べたほうが消化吸収がよく、栄養素を効果的に吸収することができます。

ゴマはすることで、香りと風味が出るだけでなく、消化がされやすくなるため、栄養素を取り入れやすくなります

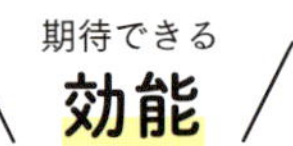

期待できる
効能

体を潤す働きが強いのが特徴。大腸を潤し、肌を乾燥から守って潤いを保つほか、硬い便通の改善に効果的です。

ゴマは白い花を咲かせます

滋養強壮のほか 肺や大腸を潤す

世界中で広く栽培されているゴマは、インド、エジプトの原産。古代から油を取るために育てられた最古の植物といわれています。中国では古くから「ゴマは不老長寿の食べ物」ともいわれるほど重宝されているなじみの深い食材です。

ゴマには、白ゴマ、黒ゴマ（P.80）、金ゴマがあり、薬膳の効能が異なります。白ゴマの薬膳としての効能は、活力を上げ、肺や大腸へ働きかけることで、体全体に潤いを与えてくれます。また、ゴマは加工の違いで、すり潰したもの、煎ったものなどがあります。煎ったものは香ばしく、香りや味わいも異なるので、料理によって上手に使い分けてみましょう。

MEMO

ゴマの成分セサミンは 老化防止の強い味方

ゴマといえば耳にしたことがある単語「セサミン」は、ゴマの特徴であるリグナン化合物のひとつ。リグナン化合物は、老化防止や、コレステロールを低下させ高血圧を防ぐなど、老化に伴う生活習慣病を予防する作用が詰まっています。そのほか、肝臓の健康にもよく、セサミンをはじめとするリグナン化合物をもつゴマは、少量でも積極的に取り入れたい食材です。

組み合わせで楽しもう！

白ゴマ×ほうれん草

ほうれん草のゴマ和え

ほうれん草はゴマと同様、腸を潤すことからゴマとの相性がよく、便秘気味の人におすすめの一品です。ほうれん草のゴマ和えに、ゴマ油をひと垂らしして中華風にアレンジするとよりゴマの効能がUPします。腸を潤すことで、体全体が潤い、乾燥した肌もよくします。

鉄分が豊富なほうれん草は貧血対策に効果的

CHAPTER2

29

SPICE

血行をよくして脳の活性をあげ、若返りに効果的

黒ゴマ

**白ゴマと効能が似ていますが、帰経が異なります。
黒ゴマにはポリフェノールが含まれるので、
老化防止や美容によいでしょう。**

DATA【別名】セサミ　【科名】ゴマ科　【使用部位】種

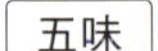

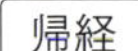

リフレッシュ　消化　水分調整　整胃腸　活力 UP　温める　清熱　リラックス　うるおす　活血　消毒殺菌　その他

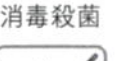

おすすめの
利用法

塩と合わせてご飯にかけたり、料理だけでなく、おやつ作りに香味付けとしても。

すり潰すとより栄養が吸収されやすくなります

期待できる
効能

**体全体を潤して、乾燥肌を改善。
気や血を巡らせて体力を向上し、
老化防止にも効果的です。**

すったゴマは、和え物、サラダやドレッシングに利用すると味がなじみやすくなります

アンチエイジングと滋養強壮に高い効果のゴマ

インド、エジプトが原産といわれ、現在では世界中で栽培、品種も多く開発されているゴマ。薬用では、黒ゴマが多く利用されています。黒ゴマは、エネルギーを補い、滋養強壮によく、炒ってすったものは吸収がよくなり効果が高まります。

薬膳の効能は、白ゴマ同様、エネルギー補給のほか、乾燥肌や足腰の重だるさなど老化にみられる症状の改善、耳鳴りの軽減を期待できます。

白ゴマと異なる点は帰経で、白ゴマが肺、脾、大腸に対して黒ゴマは脾、肺、肝、腎。肝は血を貯蔵し気を巡らせ、腎は気力と体力の源。活き活きとした体に導いてくれる食材です。

MEMO

加熱に強い抗酸化作用が特徴

黒ゴマと白ゴマの違いは薬膳的な効能だけではなく、黒ゴマの種皮にポリフェノールが含まれていることです。ポリフェノールはワインでよく聞かれますが、植物のもつ成分のひとつで抗酸化作用が高く、老化防止に効くとされています。これにより白ゴマに比べて抗酸化作用がやや高いのが特徴です。フィトケミカルとしてはあまり差異はないことから、白ゴマ、黒ゴマの用途は、料理の彩りとしての見栄えや薬膳的効能の違いで選ぶとよいでしょう。

組み合わせで楽しもう！

さつまいも×黒ゴマ

大学イモ

大学イモは、さつまいもを油で揚げて、砂糖で絡めて黒ゴマをまぶしたおやつ。さつまいもは胃腸の働きをよくして便秘を改善したり、気を補います。黒ゴマの滋養強壮効果と、砂糖の糖分とさつまいものエネルギー補給の相乗効果で疲労の改善に最適です。

体を温めて冷え性対策、エネルギー補給に○

CHAPTER2

30

YAKUZEN

疲れ目対策、疲労回復、老化防止とさまざまな効果

クコの実

杏仁豆腐で利用され、目にする機会が多いクコの実。クコの実はベリーに似た実で使いやすい食材です。効能が多く、薬膳初心者も手軽に使えます。

DATA【別名】クコシ 【科名】ナス科 【使用部位】実

五味  甘　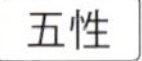 五性  平　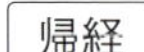 帰経  肝  腎  肺

リフレッシュ　消化 　水分調整 　整胃腸 　活力UP 　温める 　清熱 　リラックス 　うるおす 　活血 　消毒殺菌 　その他 

おすすめの
利用法

杏仁豆腐のトッピングとして知られていますが、ケーキやパンなどに入れたりとデザートにぴったり。シロップ漬けにしたものをお菓子作り用に常備しておくと便利。

一般的なのが杏仁豆腐のトッピングとして用いる方法ですが、アサイーなどベリー系のものと合わせても

期待できる
効能

めまいや耳鳴り、足腰のだるさなどの疲労改善に。ドライアイや目の疲れなど、目のトラブルの改善に。

さまざまな効能をもつ なじみ深い薬膳食材

クコは、日本各地や朝鮮半島、中国、台湾などに分布します。クコの実は、薬膳の中でもポピュラーでよく知られた食材です。乾燥させた真っ赤なクコの実は、料理にもデザートにも、利用範囲が広いのが特徴です。

クコの実は、副交感神経を刺激して血圧を降下させてくれる働きをもつため、高血圧やイライラなどに作用します。さらに、血や津液を補ってくれるため滋養強壮や、疲労回復にもおすすめです。

クコの実は目にもよく、加齢による視力の低下を抑制するとされています。ほかにも男性では精液漏れなど、アンチエイジングに効果的です。

MEMO

クコの実酒で手軽に摂取しよう

クコの実が「不老不死」ともいわれる所以はその効能の多彩さですが、現実的な献立としては調理に取り入れるのが難しいもの。サプリのように、毎日少しずつ摂取することで、老化を防止し、日々を健康に過ごすことをサポートします。またはクコの実と半量〜同量の砂糖を焼酎に2ヶ月ほど冷暗所で漬け込めばクコの実酒のできあがり。1日30ml程度を1杯飲むと、疲労回復に効果的です。

砂糖×クコの実

組み合わせで楽しもう！

クコの実ジャム

砂糖は疲労回復によく、クコの実との組み合わせで疲労回復の相性は◎。また、ジャムにすると、クコの実を多く摂取できるのも利点です。ジャムを作るときは、白砂糖なら体をクールダウン、黒砂糖では体を温めるので、自分の症状に合わせて使う砂糖を選んでもよいでしょう。

クコの実ジャムをお湯で溶きクコの実ティーに

CHAPTER2

31

SPICE

サフランは、睡眠障害に悩む高齢者に嬉しい効能も

サフラン

**スペイン料理「パエリア」のご飯の色付けや、
煮込み料理に利用されるサフランは、
1輪の花から3本しか収穫できない高価なハーブ。**

DATA【別名】ー【科名】アヤメ科【使用部位】雌しべ

五味  甘　 五性  平　 帰経  肝  心

リフレッシュ　消化　水分調整　整胃腸　活力UP　温める　清熱　リラックス　うるおす　活血　消毒殺菌　その他

おすすめの
利用法

料理に合わせた分量の水、またはぬるま湯に入れて20分以上放置すると、水に色が付きます。花は取り除いても、そのまま使ってもお好みで。

原料は花の雌しべ。1輪の花から1本の雌しべ（3本に枝分かれしている）しかとれないため、非常に高価です

期待できる
効能

**ストレスを抑えて、気持ちを落ち着かせます。
血行を改善し、血の巡りをよくします。
入眠効果に優れ、睡眠障害に効果的です。**

イライラを緩和して、優れた入眠効果を発揮する

サフランは、ヨーロッパ南部や現在のトルコが原産とみられ、日本には江戸時代に渡来した多年草です。花の雌しべを原料とし、10～11月に咲く花を、咲いた当日に雌しべをひとつひとつ手で収穫するため高価になります。

薬膳の効能は、イライラを鎮めることから月経前の不安定な気持ちや、月経痛、風邪などにも。また、入眠効果が高く、眠りが浅く起きてしまう人にも効果的です。

月経痛には0.5g程度のサフランを使用して煎じて飲み、風邪には10本程度のサフランを煎じて飲む民間療法も。イライラの改善には、少量のサフランを煎じて飲むのもよいでしょう。

MEMO

高齢者に嬉しい入眠作用

高齢者は、睡眠導入剤に対する拒否反応からアルコールに頼る人も多いようですが、優れた入眠効果があるサフランは、不眠に悩む高齢者にとってやさしい睡眠導入の手がかりとなります。睡眠導入剤、アルコールなどは効果が強すぎるため、転倒などによる怪我につながるおそれがありますが、サフランなら体にやさしいのが特徴。ただし持病がある人は、医師に相談のもと使用しましょう。また、通経作用がありますので妊娠中は禁忌となります。

エビ×サフラン

組み合わせで楽しもう！

ブイヤベース／アクアパッツァ

エビは体を温め、疲労回復や冷え性の改善によい食材です。また、血流を改善して体を温めるアンチエイジングにも。魚介の煮込みのブイヤベースやアクアパッツァにエビを入れて、サフランで色付けしてみましょう。気持ちを落ち着かせる効能と、老化防止によいメニューです。

エビは五性は温、五味が甘、鹹になります

CHAPTER2

32

SPICE

二日酔いを冷ますことで知られ、気と血の巡りもよくします

ウコン

ウコンには春ウコン、秋ウコンの２種類があり、温性・寒性と性質が異なります。どちらも体の熱を冷まして血流をよくします。

DATA【別名】ターメリック　【科名】ショウガ科　【使用部位】塊根

五味   辛 苦　五性 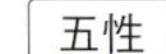  寒　帰経     肝 胆 心

リフレッシュ	消化	水分調整	整胃腸	活力UP	温める	清熱	リラックス	うるおす	活血	消毒殺菌	月経痛

おすすめの
利用法

粉末はカレーのスパイスのひとつとして、食材の色付けなどに。スライスして薬膳茶の材料としても用いることができます。

期待できる
効能

体を冷まして食欲不振を改善、気分が不安定なイライラを減らし、痛みや便秘、瘀血を改善します。

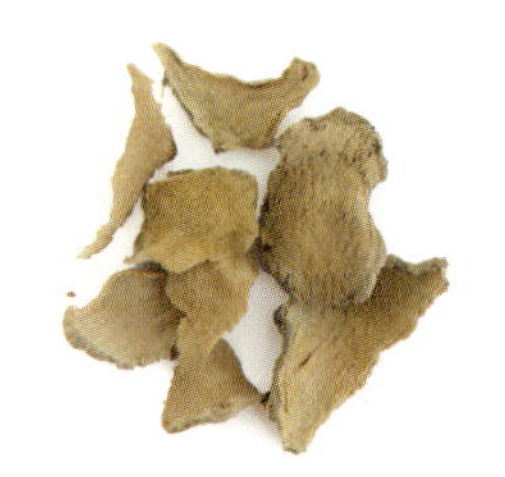

スライスされたものは、煎じて薬膳茶にも。乾燥ウコンは長期保存に適しています

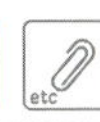

体の熱を冷まし、食欲不振や解毒作用、痛みの改善に

ウコンは、熱帯アジアが原産で、日本では沖縄、九州南部で栽培されています。温暖な湿地帯で育ちやすい多年草です。

ウコンには春に花が咲く「春ウコン（姜黄(キョウオウ)）」と「秋ウコン（鬱金(ウコン)）」の2種があります（ここでは、秋ウコンを解説）※。春、秋ウコンはともに血流をよくする点ではほぼ一緒。有効成分の含有量が異なり、春ウコンはミネラルが豊富で、秋ウコンはクルクミンが豊富です。薬膳の効能では、ウコンは、気血の流れをよくするため、滞りのために起こった腹痛や月経痛などの改善につながるとされています。 イライラ、不眠などの精神不安によいでしょう。「肝」の機能によく、黄疸や消化に有効です。

MEMO

独特の黄色が二日酔いに効果的

ウコンの鮮やかな黄色は、クルクミンという色素のため。クルクミンは、秋ウコンのほうが豊富に含まれています。クルクミンは、肝臓へ強い働きかけを行い、胆汁の分泌を促し、二日酔いに効果的です。ウコンを摂取をするときは、妊娠、授乳中は避け、持病がある人は医師に相談しましょう。

※中国では、鬱金は「春ウコン」と「秋ウコン」の塊根をいい、姜黄は「春ウコン」と「秋ウコン」の根茎をいいます。

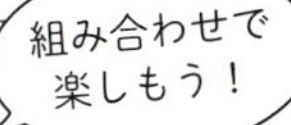

白米×ウコン

イエローライス

サフランの代わりに、白米にウコンを入れることで、華やかな黄色いご飯ができあがります。ウコンは、気や血を循環させる部分を指す「肝」に効き、食欲不振の改善にもよいとされています。苦味のあるウコンも、ご飯の色付けなどで気軽に取り入れる工夫をしてみましょう。

クミン（P.58）やローレル、バターで風味を追加

CHAPTER2

33

SPICE

夏バテ防止にも効果大

クチナシ

おせちの栗きんとんでおなじみのクチナシは古来より生薬として、天然着色料として利用されています。色素成分がクチナシの効能、目によい効果となります。

DATA【別名】ー【科名】アカネ科　【使用部位】実

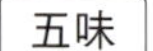  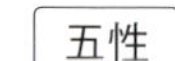  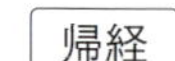    

五味 苦　五性 寒　帰経 心 肺 肝 胃

リフレッシュ　消化　水分調整　整胃腸　活力UP　温める　清熱　リラックス　うるおす　活血　消毒殺菌　その他

おすすめの
利用法

食材を染める食用色素として、出汁の材料などに利用します。外用の利用法として、乾燥させ粉末状態にしたものを水と小麦粉で練り、打ち身の患部へ塗布します。

白い花を咲かせます。着色料として利用する部位は実

期待できる
効能

体の熱を冷まし、イライラを改善、
健胃にし、夏バテ予防にも。
紫外線によるシミ、ソバカスを軽減させます。

実の部位を利用し、不眠症の改善、止血効果が特徴

クチナシは、中国、台湾、日本では静岡県以西で沖縄県まで分布しています。花を咲かせ庭木としても育てやすく、造園ではポピュラーな植物です。

実を乾燥させたものが染料などに、体の熱を冷ます生薬としても利用されています。ほてった体やイライラ、暑さによる倦怠感に効果があるとされ、胃痛止めや胃潰瘍の改善に利用されています。

不眠症の改善や化膿止め、利尿作用、止血効果があるため、鼻血や血便、血尿によいでしょう。不眠の効果は科学的にも実証されています。また、シミやソバカスを薄くする紫外線対策としても効果があり、美容に嬉しい効能をもちます。

MEMO

サフランと同じ色素で似た効能をもつ

クチナシは、パエリアのご飯の着色で使用するサフラン（P.84）と同じ色素成分で着色します。この色素成分のクロセチンはβ-カロテンの仲間で、分子が小さいため栄養が素早く吸収されることが特徴です。目の毛様体筋（水晶体を上下で支える筋肉）に直接働きかけ、筋肉の緊張を緩和し、酷使した疲れ目の改善、加齢による目の健康の向上にも効果が期待できます。

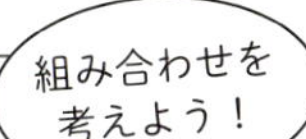

とうもろこし×クチナシ

とうもろこしご飯

クチナシの煮汁（ご飯を炊く分量の水）に、米と、とうもろこしの粒、少量の塩を入れて、炊飯器で炊き上げるだけ。仕上げにバターを入れてさっと混ぜてできあがり。クチナシの清熱、とうころこしの利水作用で夏バテと、むくみによいレシピです。

出汁として炊飯器に芯を入れてもおいしい

真っ赤な色素で日本の文化には欠かせない植物

ベニバナ

日本では神事や女性の口紅などに使われたベニバナ。体を温め、冷え性の改善や、更年期障害にも効き、女性の体の不調に嬉しい効能が多い薬草です。

DATA【別名】サフラワー　【科名】キク科　【使用部位】花

五味  辛　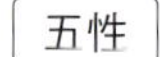 五性  温　 帰経  心  肝

おすすめの
利用法

クチナシ(P.88)やサフラン(P.84)と同様、料理の色付けに。薬膳茶にする場合は、ひとつまみを煎じて服用します。

花の咲く6～7月の早朝に摘み、洗った後、乾燥させるか、または発酵させます

期待できる
効能

血の巡回をよくして冷え性、体のコリに効き、更年期の不安定な気持ちに効果的です。婦人病の改善にも。

血の流れを促し、女性の体の不調を整える

ベニバナはエジプトが原産で、1年から2年の越年草で、日本には奈良時代に渡来しました。主に染料や切り花として利用されていました。収穫した花は、水に浸して乾燥すると赤く変色します。サフラン（P.84）と似ていますが、効能や血圧を下げるなどが類似しています。

体を温め、滞った血を流すため、筋肉のコリや関節痛を緩和します。ほかにも、冷え性、神経痛などの緩和にも有効です。

更年期障害や月経前の不安定な気持ちを落ち着かせるなど、婦人病に効くとされますが、子宮に影響するので妊娠中や、月経の調子がよくない人は、摂取してはいけません。

MEMO

生活習慣病を予防するベニバナ

血液検査で表記される「HDL-コレステロール」いわゆる善玉コレステロールは、生活習慣病の動脈硬化などを防ぐコレステロールのこと。逆に悪玉コレステロールは、「LDL-コレステロール」と呼ばれ、動脈硬化を促進させます。ベニバナの色素は、血流の改善作用をもち、これにより肝臓の働きが活発になるため、体内で酸化したものを分解されます。HDL-コレステロールを増やす働きをしますがとりすぎは逆効果です。

組み合わせを考えよう！

白米×ベニバナ

ご飯の色付けに

ご飯と一緒に炊くだけで黄色く色付けされたご飯ができあがり。3合の白米に対して、大さじ1杯入れて炊きましょう。サフランは高価なスパイスなので、効能が似ているベニバナで代用するのもよいでしょう。鶏肉や干し椎茸をまぜて炊き込みご飯にしてもおいしく食べられます。

黄色く色付くベニバナ

CHAPTER2

35

SPICE

独特の風味と甘みをもつスパイスの王様

シナモン

**薬用だけではなく香りを楽しむ嗜好品として扱われ、
その香りには胃を健康にしたり、
抗菌作用による風邪や吐き気止めの効能も。**

DATA【別名】ニッキ　【科名】クスノキ科　【使用部位】樹皮

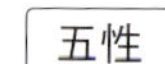

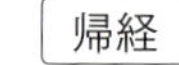

五味　辛　甘　　五性　熱　　帰経　肝　腎　心　脾　胃

リフレッシュ　消化　水分調整　整胃腸　活力UP　温める　清熱　リラックス　うるおす　活血　消毒殺菌　月経痛

おすすめの
利用法

お菓子に使用するほかにも、飲み物にプラスすると手軽に摂取できます。ミルクティーやコーヒーにパウダーをふりかけたり、ワインにスティックを入れて温めるとより体を温め効果が期待できます。

スティックは一番外側の樹皮を細長く巻き、乾燥させます。十分に乾いたところで砕くと粉末になります

期待できる
効能

**体を温め、優れた保温効果により
下半身を温め、腹痛や足腰の痛みの緩和、
月経痛など女性特有の症状にも有効です。**

※薬膳では体の深部を温めるのが桂皮、発汗作用は桂枝と分けます

香る甘さは樹皮によるもの用途は幅広い

シナモンは、10〜15メートルに生長する常緑樹。インド、ブラジル等でも栽培されていますが、スリランカのものが最上といわれています。収穫時期は年2回。樹皮をはがし取る回数を重ねるほど、香り高く質のよいものになります。

シナモンは、独特のスパイシーな香りによって、胃腸を活性化し消化機能を高めることから、芳香性健胃薬として利用されていました。また、抗菌作用が高く、風邪や吐き気抑制に用いたり、血糖値を調整する作用も。

薬膳の効能は、冷えからくる下痢や腹痛、月経痛など、体を温めることで痛みを緩和させます。

MEMO

抗菌作用が強く風邪の予防や吐き気の改善に効果的

シナモンは抗菌作用が強いため、風邪や吐き気の改善に有効です。またシナモンのもつ「熱」効果が血行をよくし、だるさや痛みを和らげます。ただしシナモンに含まれるシナモンアルデヒドは、皮膚アレルギーや口内炎を引き起こす可能性があるので、症状がみられた場合は医師に相談をしましょう。

組み合わせを考えよう！

リンゴ×シナモン

焼きリンゴ

リンゴには「リンゴポリフェノール」が含まれており、健康維持や美肌効果、老化防止が期待されます。リンゴとシナモンの相性はよく、焼きリンゴにシナモンの風味を添えると味を引き立てます。風邪などで食欲がない時に、シナモンの香りと効能でリンゴの栄養をとりやすくします。

クローブ（P.42）と合わせるのもおすすめ

CHAPTER2

36

YAKUZEN

咳止めとして喉の不調に効果的

アンズ（アンニン）

**子どもから大人まで誰にも好かれるデザートの杏仁豆腐は、主原料はアンズの種からできています。
実、種どちらも喉を潤してくれる効果が期待できます。**

DATA【別名】ー 【科名】バラ科 【使用部位】実・種

五味  甘　五性  温　帰経  肺

リフレッシュ　消化　水分調整　整胃腸　活力UP　温める　清熱　リラックス　うるおす　活血　消毒殺菌　その他

おすすめの
利用法

市販されているアンズの種（仁）を粉状にした杏仁霜を購入すれば、手軽に杏仁豆腐が作れます。寒天入りのものも販売していますが、杏仁霜100％の方が風味も豊かです。生薬は苦杏仁で作られ、味が苦いのが特徴です。

杏仁霜を使えば、杏仁豆腐が簡単に作れます。子どものおやつにも◎

期待できる
効能

**実も種も喉を潤す効果が高く、痰を取り除き、咳を止める作用があります。
肌や腸を潤す効果もあり、便秘や美肌にも。**

実、種、どちらも咳止めに効果あり

アンズは、中国北部原産の果物。世界各地で栽培されていますが、日本では長野県と青森県で主に生産されています。6月から7月が旬で一番実がおいしい季節。

アンズの種の中に入っている仁を取り出したものが、生薬で杏仁（キョウニン）となります。この種から取り出した仁が杏仁豆腐の原料となります。

薬膳としての効能は、アンズの実もアンニンも、整腸効果があり、肺に潤いを与えてくれ、乾いた喉を潤してくれるという特徴をもっています。ただし、アンズは多少の毒素を含んでいるため、大量に摂取すると危険。子どもへ与える場合は注意が必要です。

MEMO

杏仁霜はアンズの種から作られる

杏仁豆腐で使われる「杏仁霜」は、アンズの種である「仁」を取り出して利用します。アンズの種を割ると中にある、白い仁の薄皮を外して杏仁豆腐の原料とします。この仁は多量に採れないため、香りが似ているアーモンドで代用することもあります。市販の杏仁霜は、アンズだけではなく香りが似ているアーモンドの仁を利用しているものが多いので、アンニンの効能をとりたい時は原料をチェックしてみましょう。

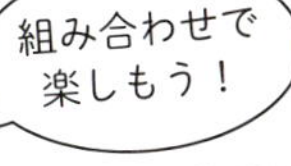

牛乳×アンズ

杏仁豆腐

杏仁豆腐は、杏仁霜と牛乳、ゼラチン、水を火にかけて混ぜ合わせてから、型に流し込んで冷蔵庫で冷やせばできあがり。牛乳はとりすぎるとお腹を下しますが、適量の摂取はストレスによる疲労を軽減し、体を潤します。アンズと相乗効果で疲労を回復して、美肌づくりにも効果的です。

牛乳の代わりに豆乳を利用してもおいしい

高級スパイスのひとつでエキゾチックな香りが特徴

カルダモン

「香りの王様」ともいわれるカルダモンは、インドやスリランカのカレーのスパイスのひとつ。胃腸の調子をよくして、丈夫にします。

DATA【別名】ー 【科名】ショウガ科 【使用部位】種

五味 辛 五性 温 帰経 脾 胃

リフレッシュ 消化 水分調整 整胃腸 活力UP 温める 清熱 リラックス うるおす 活血 消毒殺菌 その他

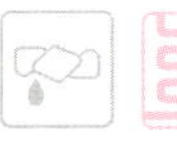

おすすめの
利用法

種を利用する時は、潰すと香りがより強くなります。粉末はお菓子作りや、カレーなどのミックススパイスに利用しましょう。

カルダモンは砕くとより香りが強くなります

粉末状のもの。香りは弱くなりますが、手軽に使えて便利

期待できる
効能

すっとした香りで胃腸の調子を整え、消化液の分泌を促し、消化を促進します。また、脳の老化防止に効果的です。

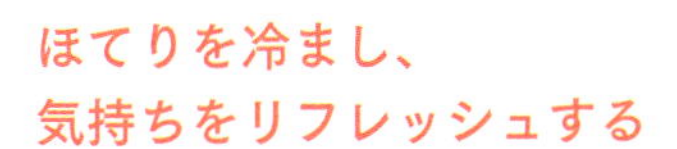

ほてりを冷まし、気持ちをリフレッシュする

カルダモンはマレーシア、インド、スリランカ、ヒマラヤなどが原産で、スパイスの歴史の中でも古くから利用されてきたひとつです。多年草で、実の部分を採集し、日干し、または加熱して乾燥させたものを使います。カレーのスパイスが有名ですが、お菓子作りにも使われます。

薬膳としての効能は、体の余分な水分の調整をしてお腹の張りをなくし、胃もたれの改善や吐き気の緩和など、胃腸によいとされています。

心身が疲れ切って食欲がない時や、消化が悪い時に利用することで、体を温め、胃を健康に整えます。ただし、妊娠中の摂取はなるべく控えましょう。

MEMO

脳の血行をよくして老化防止に

北インドでは、アルツハイマー型認知症の患者数が極端に少ないという統計が出ていますが、これは食生活に起因しているという説があります。インドではカレーが主食で、体を温めて脳の血流をよくするといわれているウコン（P.86）やクミン（P.58）などのスパイスをふんだんに使っており、脳の血液の循環量を健康に保っているとみられています。さらにカルダモンの効能は、一過性ではなく、持続的に脳の血流量を増やすとされ、認知症予防に期待できるスパイスです。

組み合わせを考えよう！

カルダモン×コーヒー

カルダモンコーヒー

コーヒーの五性は平。体の状態をおだやかに保つ意味をもちます。カルダモンの種は割ると香りがより強くなります。コーヒー豆を挽き、カルダモンの種を割るか、外皮を取り、種をドリップするときに混ぜる、またはそのままコーヒー豆と一緒にミルで挽いてドリップしても。

エスニックな味わいのコーヒーになります

CHAPTER2

38

YAKUZEN

実はジャムでおなじみ、葉はクワの葉茶として利用

クワの実

日本でも自生するクワは、あらゆる部位に効能があり、実は美容に、根は生薬で利用します。葉は抗酸化作用が高く、咳を抑えることに効果的です。

DATA【別名】マルベリー　【科名】クワ科　【使用部位】実・根皮・葉

五味  甘  酸　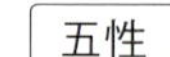 五性  寒　 帰経  心  肝   腎

リフレッシュ 
消化 
水分調整 
整胃腸 
活力 UP 
温める 
清熱 
リラックス 
うるおす 
活血 
消毒殺菌 
その他 

おすすめの
利用法

葉は秋に収穫し、日干しで乾燥した状態で、ハーブティーや薬膳茶として使用します。実は煮詰めてジャムや肉料理のソースの材料に。根の皮は漢方薬として入手できます。

クワの葉は、クワの葉茶、マルベリーという名で流通しています。五味は苦・甘、五性は寒となり、実と異なります

期待できる
効能

根（桑白皮）は炎症を鎮めて咳を抑えます。
実はめまいや手足のふるえ、眼精疲労など、
葉は風邪の諸症状の緩和や、二日酔いの改善に。

ハーブティー、薬膳茶としてのクワの葉

中国や日本には、大きくマクワとヤマグワの２種類が自生しています。中国から朝鮮半島を経て日本に渡り広く分布し、効能はどちらも類似しており、実から枝、根茎、葉とさまざまな部位が生薬として利用されています。実の部分は目の疲れや耳鳴り、不眠などによいとされ、体を冷やす効能があるので、ほてりやすい人におすすめです。

漢方での「肝」は血を蔵し、気の流れを促します。「腎」は生命のエネルギーを蓄える場所です。クワはこの肝、腎に働きかけることから血を補う働きをし、体力低下を防止します。抗酸化作用など、美容に嬉しい効能も高い食材です。

MEMO

抗酸化作用が強く女性ホルモンをUPする

クワの実には、フラボノイドが多く含まれます。フラボノイドは、植物性食品にみられる代表的なポリフェノールで、抗酸化作用などがあります。クワは、フラボノイドを高機能化したプレニルフラボノイドを多く含んでいることにより、その効果はより高いとされています。ほかにも、女性ホルモンのような働きをもつエストロゲンの作用もあるため、大豆のイソフラボンに続き、女性に嬉しい効能がある食材といえるでしょう。ただし、多量の摂取は控えましょう。

組み合わせを考えよう！

緑茶×クワの葉

薬膳茶

クワの葉は、「クワの葉茶」という名でハーブティーや薬膳茶として流通しています。とくに葉は、栄養価が高く、カルシウムが摂取できます。風邪の初期症状の緩和に効果的で、ひき始めに飲むのがおすすめです。緑茶はビタミンCが豊富で風邪の時のブレンドにおすすめです。

クワの葉だけでも飲みやすい

CHAPTER2

39

HERB

血圧を下げ、利尿作用や抗菌、殺菌効果が高い

ドクダミ

どこにでも自生する生命力がたくましいドクダミ。身近な野草ですが、抗菌、殺菌力に喉の腫れを抑えたり、解毒作用もある薬草です。

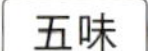

DATA【別名】ー 【科名】ドクダミ科 【使用部位】全草

 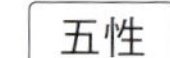  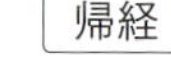    

五味 辛　五性 微寒　帰経 肺 腎 膀胱

おすすめの
利用法

乾燥させた葉2～3gに対し、お湯を200mlで煎じます。

独特な強い香り、白い花（総包）を咲かせて国内に自生します

期待できる
効能

ミネラルが豊富で、高血圧の予防、利尿作用など、抗菌、殺菌効果、皮膚疾患にも効果的です。

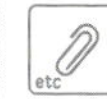

ミネラルがたっぷりで血圧を下げて殺菌力が強い

日本では北海道南部から沖縄にかけて自生する多年草で繁殖力が強い植物です。ドクダミには、カリウム、カルシウムなど不足しがちなミネラルが豊富なのが特徴。使用部分は主に葉を用います。

花が咲く6～7月頃の葉をとり、水洗いして生のまま外用として、または乾燥させたものを茶葉として利用します。初夏の6～7月は、ドクダミのもつ成分が豊富な時期。乾燥させて飲む場合も、外用で使用する場合も、この時期の葉を利用するとよいでしょう。薬膳の効能は、皮膚疾患、解毒、咽喉の腫れや痛みの緩和、血圧を下げるため高血圧の予防や利尿作用、抗菌、殺菌力があります。

MEMO

民間療法では外用も

ドクダミは、煎じて飲むのがポピュラーな利用法ですが、生の場合は葉と茎をすりつぶして、おできなどの患部につければ症状を和らげるといわれてきました。これは、ドクダミの抗菌、殺菌効果などが患部に効くことの、昔ながらの知恵によるものでしょう。ほかにも生葉を揉んで鼻の穴に詰めて鼻炎の改善に、ほかにも便通や利尿作用があるとされて、民間療法で親しまれてきた薬草のひとつです。

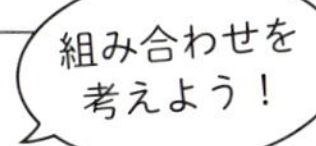

はとむぎ×ドクダミの葉

薬膳茶

ドクダミ茶は乾燥させた葉を10g程度、鍋に500～600mlの水と一緒に入れましょう。好みの量のはとむぎ（P.72）を加えると飲みやすくなります。弱火で煮詰め、鍋の水が半分になったら漉して完成です。ドクダミの成分の変化を防ぐため、土鍋や陶器などを使うのがベストです。

効能は落ちますが、煮詰めずポットで淹れても◎

CHAPTER2

40

HERB

繁殖力が強く園芸でも人気

ミント

料理、デザートやドリンクなどでおなじみのミント。体の熱を冷まし、気の滞りを解消して、気持ちをリフレッシュする効果が高いハーブです。

DATA【別名】ハッカ　【科名】シソ科　【使用部位】葉

 五味  辛　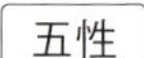 五性  涼　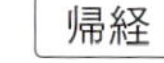 帰経  肝  肺

リフレッシュ　消化　水分調整　整胃腸　活力UP　温める　清熱　リラックス　うるおす　活血　消毒殺菌　その他

    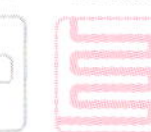             

おすすめの
利用法

煎じてハーブティーやシロップにしたり、デザートやドリンクの彩り、香り付けに利用します。外用では精油を利用した湿布、入浴剤としても利用されています。

日当たりのよいところはもちろん、日陰でも十分育つミントは、繁殖力が非常に高い植物です

期待できる
効能

すっとした香りで気分転換に。風邪の頭痛や鼻づまりの改善や、気の流れを促すので筋肉痛、肩こりの緩和に。

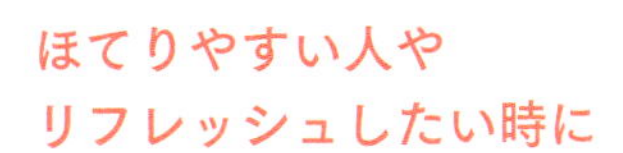

ほてりやすい人や リフレッシュしたい時に

ミントはなじみ深いハーブのひとつで、ペパーミント、スペアミントや日本が原産の「ハッカ」があります。一般的にペパーミントは、スーパーでも入手しやすく、調理に使いやすい食材です。

ペパーミントは地中海沿岸が原産。多年草で、現在では世界中に自生し、栽培もされています。

薬膳での効能は、汗を発散させ、上半身の熱を冷ますことが特徴で、熱風邪のひき始めに使うとよいでしょう。風邪による頭痛、目の充血や喉、鼻水、鼻づまりの改善に効果的です。首や肩が熱い時、ストレスで気が滞っている時には気を巡らせてリフレッシュすることができます。

MEMO

ミントのメントールは食欲増進の作用もアリ

ミントのすっとした香りはメントールの成分によるもの。このメントールは皮膚掻痒症への痒み止めの効果も実証されています。薬膳による効能もこのメントールの成分が働きかけた結果で、芳香成分が有効です。防腐、抗炎、鎮痙のほか、咳を鎮めたり、胆汁の分泌を促す作用があるので、食欲を増進させる力があります。

組み合わせを考えよう！

緑茶×ミントの葉

モロッコ風ミントティー

生の葉を使ってモロッコ風ミントティーにするのもおすすめ。鍋に300mlの水、緑茶小さじ1、好みの量の砂糖を入れて緑茶を淹れましょう。ポットにミントの葉を好みの量を入れ、鍋で淹れた緑茶を注ぎ、葉を蒸らしましょう。香りが立ったら、ミントの葉を入れたカップに注ぎます。

アイスの場合は濃く甘めにするのがおすすめ

CHAPTER2

41

HERB

バラの蕾のハーブは、女性に嬉しい効能たっぷり

ローズ

**ハーブに使われるローズは、マイカイという品種。
女性に嬉しい美容効果も多く、
体を元気にして、アレルギー対策にも効果的。**

DATA【別名】バラ　【科名】バラ科　【使用部位】蕾

五味 甘 苦　五性 温　帰経 肝 脾

  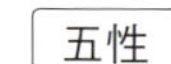    

リフレッシュ　消化　水分調整　整胃腸　活力UP　温める　清熱　リラックス　うるおす　活血　消毒殺菌　美容

  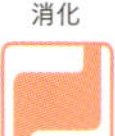          

おすすめの
利用法

水200～300mlに対して、5～10gを煎じてハーブティーとして用います。

マイカイは、ハマナスに似ていますが、品種は異なります。バラの品種であるハマナス「Rosa rugosa Thunb.」の変種で、学名は「Rosa rugosa Thunb. var. plena Regel」といいます

期待できる
効能

ビタミンCとクエン酸の抗酸化作用による老化防止、美容効果、食欲不振の改善、イライラの緩和、アレルギーにも効果的。

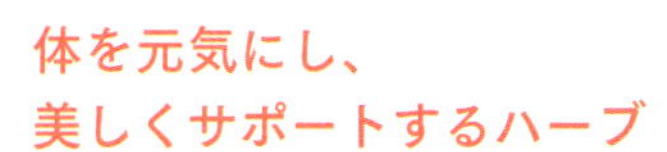

体を元気にし、美しくサポートするハーブ

ハーブに使われるローズ、マイカイは、中国中部が原産。5～6月に花が咲き、蕾をとって陰干ししたものを用います。

花にはフラボノイドのクエルシトリンや、ビタミンC、クエン酸など多くの成分が含まれます。

肝臓や胃の痛み、月経不順、リウマチ、打撲などの痛みの緩和によいとされています。薬膳としては帰経が「肝」であることから、血を貯蔵し、気を巡らせてイライラや食欲不振の改善にも効果的です。「脾」の特徴として消化吸収、栄養を全身に促すことから、ローズのビタミンCやクエン酸と合わせて美容に嬉しい効果が期待できます。

MEMO

強い体作りをするマイカイのパワー

ハーブに使用されるマイカイの成分に含まれるクエルシトリンとは、ドクダミの葉にも含まれるフラボノイドのひとつ。このクエルシトリンは、強心、利尿、抗菌、抗ウイルス作用があります。ほかにも、ポリフェノールであるテリマグランジンⅠ、Ⅱが含まれています。アレルギー反応とは、体内で異物を感知した化学物質のヒスタミンが体を守ろうと過敏に発生してしまうこと。テリマグランジンⅠはこのヒスタミンの過敏発生を抑えて、アレルギー反応を抑制します。

組み合わせを考えよう！

紅茶×ローズ

ハーブティー

ビタミンやクエン酸で抗酸化作用たっぷりのローズは美容によく、イライラの改善にもつながることから月経前の不安定な気持ちなどにもよく、女性に嬉しいハーブティーです。蕾だけだと薄い風味なので、紅茶や中国茶の葉をブレンドして、好みの味わいにしてみましょう。

慢性疲労や、肉体疲労にもおすすめ

42

HERB

「畑のお医者さん」の異名をもつ。カモミールと同一の植物

カミツレ

鎮痛や胃に作用するなど、多くの効能をもつカミツレは、古代バビロニアでは、すでに薬として利用されていました。気持ちを安定させる働きもあり、安眠にも効果的です。

DATA【別名】ジャーマンカモミール【科名】キク科【使用部位】花

五味	—	五性	—	帰経	—

リフレッシュ 消化 水分調整 **整胃腸** 活力UP **温める** 清熱 **リラックス** うるおす 活血 **消毒殺菌** その他

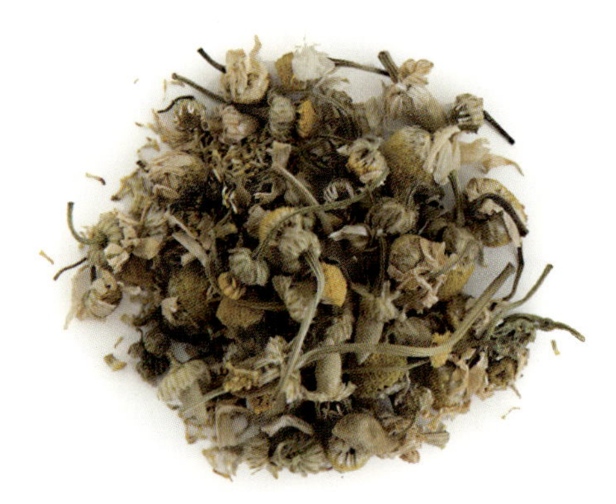

おすすめの
利用法

小さじ1杯、または花を5～6個、200～300mlのお湯に煎じます。

園芸でも人気の品種で、かわいらしい白い花を咲かせます

期待できる
効能

消炎、鎮静、鎮痙などさまざまな効能と、精神安定、安眠など。
食欲増進、胆のうと胃液の分泌をよくします。

リラックス効果が高く、多くの効能があるハーブ

カミツレは、ヨーロッパが原産で一年～越年草。キク科で白い花を咲かせます。英名ではジャーマンカモミールといい、市場でカモミールと略されて流通しています。カミツレの効能は非常に多く、鎮静効果、安眠や鎮痙、消炎、月経痛の緩和、精神安定や安眠効果がよく知られています。

また、腸の働きをよくする駆風作用、強壮や、体を温めることから、発汗作用や、胆のうや胃液の分泌をよくして食欲を増進させます。

喉風邪の時は、ハーブティーで体を温めましょう。カミツレのもつアズレンという成分に炎症を抑える効果があるため、喉の炎症を回復する効果があります。

MEMO

抽出量が少なく精油は高価

カミツレは、リンゴのような香りで人気のハーブのひとつです。ジャーマンカモミールとして、ハーブティーや精油で流通しています。精油は花からわずか0.3～1%しか抽出できないため高価なハーブです。精油には、リラックス効果のほか、抗炎、駆風、発汗などの働きがあります。似たような効能があるハーブにローマカミツレが挙げられますが、効能の強さはジャーマンカモミールの方が、やや勝ります。

組み合わせを考えよう！

牛乳×カミツレ

カミツレのミルクティー

花を5～10個（小さじ2杯）、牛乳200～300mlと一緒に弱火で温めます。牛乳には、イライラした気持ちを安心させ、疲労を回復する効果があります。疲れがひどく不安感などで眠れない夜に、カミツレとの相乗効果で安眠を期待することができます。

紅茶とハチミツを足せば飲みやすくなります

CHAPTER2

43

HERB

スポーツ後の疲労回復にも最適！

ハイビスカス

温暖な気候でよく育つハイビスカス。美肌効果が高いと女性に人気のハーブティーですが、スポーツ愛好家にも嬉しい疲労回復の効能も。

DATA【別名】ブッソウゲ、リュウキュウムクゲ　【科名】アオイ科　【使用部位】がく

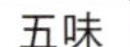 　 　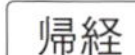    

五味 酸　五性 涼　帰経 心 脾 胃 大腸

リフレッシュ　消化　水分調整　整胃腸　活力UP　温める　清熱　リラックス　うるおす　活血　消毒殺菌　美容

おすすめの

利用法

水200～300mlに対して、5～10gを煎じてハーブティーとして用います。

使用部位は花びらではなく、花びらの根元のがく。ハーブティーに使われる食用のハイビスカスは「ローゼル」という品種

期待できる

効能

疲労回復、整腸作用、ビタミンCが豊富で、美容やアンチエイジングに効果的です。

植物酸の力で疲労回復に効果あり

ハイビスカスの原産地は東インドや中国とされています。日本には江戸時代初期に中国から渡来しました。種類は豊富で、ハワイなどにある原種との交配などで、今では3000種に及びます。

薬膳の効能は、ハイビスカスの酸味が唾液の分泌をよくし、発汗を抑えます。また体の熱を冷まして、気持ちを落ち着かせます。帰経に大腸があり、便秘や下痢など大腸の不調の改善によいでしょう。

ハイビスカスには、ジャム作りなどで果物を煮込むとゲル化することで知られるペクチンも含まれています。ペクチンは、私たちの体では消化できないことから食物繊維となり、腸の調子を整えます。

MEMO

チンキにして外用薬としても

ハイビスカスティーは、ハイビスカスの成分にある抗酸化作用のクエン酸や、ビタミンCがたっぷり。クエン酸はレモンなどにも含まれる疲労の早期回復によい成分で、スポーツ愛好家の間でもサプリとしてよく飲まれています。ほかにも民間薬として、おできの改善に効果があるとされ、外用薬も作られてきました。乾燥させた葉や花を粉末状にし、45度以上の酒（ホワイトリカーなど）に3ヶ月から半年間寝かせます。その後に濾して、患部に塗布します。

組み合わせを考えよう！

ローズヒップ×ハイビスカス ブレンドハーブティー

ハイビスカスの抗酸化作用＋ビタミンC補強で女性に嬉しいハーブティーに。似た効能のローズヒップ（P.118）と相性が◎。酸味が苦手な場合は、栄養の吸収が早いハチミツを入れることで、ローズヒップやハイビスカスのクエン酸との相乗効果で疲労回復にもつながります。

ルビー色はアントシアニン色素によるもの

CHAPTER2

44

HERB

ミネラルが豊富で貧血の改善、アレルギー予防にも効果的

ネトル

ビタミンAやCを含む栄養価が高いハーブで、花粉症などアレルギー予防に効果的です。ほかにも、貧血予防などにも用いられます。

DATA【別名】セイヨウイラクサ 【科名】イラクサ科 【使用部位】葉

五味 ― 五性 ― 帰経 ―

リフレッシュ 消化 水分調整 整胃腸 活力UP 温める 清熱 リラックス うるおす 活血 消毒殺菌 貧血

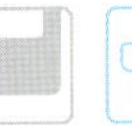

おすすめの
利用法

茶葉を煎じて飲むか、粉末状にしたものを、お湯に溶いて飲むのがおすすめです。

野草のイラクサ。細かいトゲがあるのが特徴です

期待できる
効能

花粉症などのアレルギー予防のほか、
利尿効果があり、
便秘やむくみを改善し、解毒作用も。

喘息、アトピーなどのアレルギー対策に効果的

ネトルの和名はセイヨウイラクサといい、日本に分布するイラクサとは別種。多年草で、全体に刺毛があるため、触れると腫れます。北アメリカ、ヨーロッパ、アフリカ、オーストラリアと広く分布し、ヨーロッパでは古くから解毒作用のあるハーブとして親しまれてきました。

ネトルの栄養素はビタミンA、Cなどビタミン類のほか、ミネラル類が豊富なため、貧血の改善も期待できます。また炎症を鎮めるため、喘息、じんましん、副鼻腔炎など、アトピーや花粉症をはじめとするアレルギー予防にも。ほかに利尿作用や、むくみの改善、関節炎の予防、リウマチや痛風にも効果的です。

MEMO

ホルモンの分泌に影響する

基本的にヨーロッパでは古代ギリシャから多くのハーブが親しまれていますが、ネトルはその中でも薬草としての効能が高いことで知られています。ネトルはホルモンの分泌に影響があり、前立腺肥大症の改善に効果が高いとされています。子宮を収縮することから、妊娠中や授乳中の摂取は控えましょう。

ミント×ネトル ブレンドハーブティー

ネトルは緑茶のような味わいで飲みやすいお茶ですが、同じくアレルギーを緩和するエルダーフラワー、すっきりと鎮静効果のあるミント（P.102）などをブレンドしてオリジナルのハーブティーにするのもおすすめです。就寝前の一服によいでしょう。

日本茶と風味が似ているネトルのお茶

CHAPTER2

45

HERB

すっきりした味わいと甘い香りが特徴

ジャスミン

**ジャスミンは体を温める、リラックス効果の高いハーブ。
中華料理でおなじみのジャスミン茶は、
香りに気持ちをリラックスする効能があります。**

DATA【別名】ー 【科名】モクセイ科 【使用部位】花

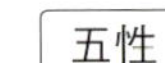

五味 甘 辛　五性 温　帰経 肝 心 脾

リフレッシュ　消化　水分調整　整胃腸　活力UP　温める　清熱　リラックス　うるおす　活血　消毒殺菌　その他

おすすめの
利用法

花を乾燥させたものを、1.5 ～ 3g（ティースプーン 1 杯程度）を煎じて飲みます。

開花したジャスミン

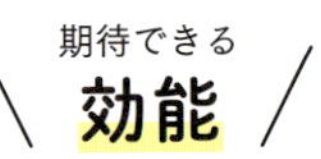

期待できる
効能

食欲不振、胃もたれなど胃の不調を改善し、
憂うつ、イライラなど不安定な気持ちを安定させ、
眠りが浅い時の改善にも効果的です。

ストレスでイライラしている時や胃の不調の改善に

ジャスミンの原産は、エジプト、アラビア半島、インド。日本には江戸時代後期に渡来しました。7月頃の晴れた日に初咲きの花を収穫し、日干しして乾燥したものを利用します。

ジャスミンは下痢、腹痛、結膜炎などに効くとされています。催眠作用もあるため、眠りが浅い時などにも有効です。

薬膳としての効能は、体を温め、気の巡りをよくする「肝」に効き、憂鬱で精神が不安定な時や、月経前のストレスが多くイライラの改善にも。

ほかにも、栄養の消化吸収の働きを指す「脾」に働きかけ、胸のつかえや食欲不振、胃もたれの改善につながるでしょう。

MEMO 香りが心を落ち着かせる

薬膳でいわれているジャスミンの精神安定の効能は、研究結果によって、香りによる効果が強いことがわかりました。ジャスミンの香りを嗅ぐと、体を動かしたり、緊張時のストレスや活動時に働く交感神経の活動が弱まり、リラックスや安静にしている時の副交感神経の活動が高まることで、心拍数が低下します。ジャスミンのお茶を飲む時は、香りを十分に吸い込むと、精神安定によく効くでしょう。

組み合わせを考えよう！

中国茶×ジャスミンの花 ジャスミンティー

中華料理店で出てくるジャスミンティーは、烏龍茶とブレンドされたもの。このように中国茶や紅茶と合わせる場合は、ジャスミンの香りが負けないように薄めに入れ、ほかのハーブとブレンドする場合はジャスミンと同じリラックス効果のあるカモミール（P.106）などがおすすめです。

香りを楽しんで飲みましょう

CHAPTER2

46

HERB

落ち込んだ時に気持ちを安定させる

セントジョーンズワート

中世では悪魔払い、厄除けとして利用され、十字軍も利用した歴史があるセントジョーンズワートは、現在では主に抗うつのハーブとして利用されています。

DATA【別名】セイヨウオトギリソウ　【科名】オトギリソウ科　【使用部位】花・茎・葉

五味 —　五性 —　帰経 —

リフレッシュ　消化　水分調整　整胃腸　活力 UP　温める　清熱　リラックス　うるおす　活血　消毒殺菌　その他

おすすめの
利用法

沸騰したお湯 300ml に対し小さじ 1 杯のセントジョーンズワートを入れ、3 分程度蒸らしたものを服用します。

収穫時期は聖ヨハネの日（6 月 24 日）を目安とし、そののち黄色い花を咲かせます

期待できる
効能

抗菌、止血、鎮痛作用と精神面に強く働きかけ、不安や不安定な気持ちを落ち着かせます。

確かな効能で、EU諸国では医薬品扱いのハーブ

セントジョーンズワートは、ヨーロッパ、アジア、北アフリカが原産の多年草です。外用では消炎、抗菌、止血、鎮痛作用があります。精神面では抗うつ、不眠など多くの効能があり、月経前のホルモンバランスの崩れによる、不安定な気持ちを落ち着かせます。

服用する場合は、ハーブティーで摂取するのが一般的です。EU諸国では医療品扱いになっているほど、効能が強めのハーブです。持病があり医薬品を服用している人がセントジョーンズワートを利用する場合は、必ず医師に相談しましょう。近年では強い抗ウイルス作用でも注目されています。

MEMO

気持ちを落ち着かせたい時に

セントジョーンズワートが、気分を安定させる理由は、生体色素のヒペリシンとヒペルフォリンという成分によるもの。セントジョーンズワートの茎や葉の赤黒い色素がヒペリシンです。ヒペリシンは、体内にある幸せホルモンと呼ばれる神経間で伝達するセロトニンを増やすため、気分が向上します。ヒペルフォリンは、セロトニンが伝達しやすくなるようにシナプスを調整します。この2つの成分の組み合わせで、幸せホルモンが増え気持ちが安定します。

ネトル×セントジョーンズワート ブレンドハーブティー

組み合わせを考えよう！

セントジョーンズワートだけではやや癖があるので、ハーブティーとして楽しむなら好みの茶葉をブレンドしてみましょう。セントジョーンズワートに合う茶葉はリフレッシュしたい時はレモンバームやレモングラス、落ち着きたい時はネトル（P.110）と紅茶で合わせるのもよいでしょう。

ブレンドするとより飲みやすくなります

CHAPTER2

47

HERB

安眠効果が高いハーブの女王

ラベンダー

**リラックス効果の高いラベンダーは、
緊張型頭痛の緩和、解熱作用、
気管支炎をよくするなどの効能があります。**

DATA【別名】ー 【科名】シソ科 【使用部位】花

五味 ー　五性 ー　帰経 ー

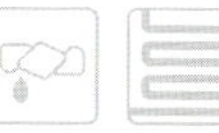

おすすめの
利用法

そのまま煎じて飲む場合は、ラベンダー小さじ2杯を300mlの水で煎じて服用します。ほかにも乾燥させてポプリで香りを楽しむなどにも利用します。

ラベンダーは5～7月に咲く紫の花を採集し、乾燥させて使用します。園芸としても人気の品種です

期待できる
効能

**消化不良の改善、
リラックス効果が高く、入眠障害の改善や
緊張型頭痛の緩和に効果的です。**

乾燥しても香りがよく リラックス効果が高いハーブ

ラベンダーは地中海沿岸のカナリア諸島からインドが原産で、丘陵地帯に自生します。日本では北海道で栽培されており、交配種が増え続けている品種です。

さまざまな種類のラベンダーがありますが、精油にはLavandula angustifolia、Lavandula officinalisの2種がよく利用されています。

ラベンダーの香りはイライラや興奮を鎮め、リラックス効果が高く、眠る前にハーブティーにして飲むと入眠障害の改善に効果的です。精油の香りを嗅いでもよいでしょう。内服では消化不良、神経疲労や抹消循環などに効き、緊張型頭痛の緩和にも効果があります。

MEMO

精油の場合は 外用として使える

ラベンダーの精油は、水蒸気蒸留でオイルを抽出しています。外用する時は、肌に塗布できる程度の濃度（商品によって濃度は異なります）に希釈して皮膚に塗布します。傷、日焼け、虫さされや筋肉痛に効果があります。外用でも交感神経の緊張が低下し、副交感神経の活動が高まることがわかっています。外用の場合はLavandula angustifolia、Lavandula officinalisと表記された精油を利用しましょう。

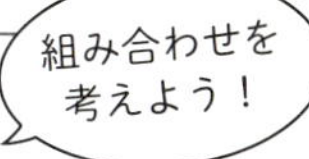

紅茶×ラベンダー ブレンドハーブティー

ラベンダーのハーブティーは香りが強いため、そのまま煎じて飲むよりも、紅茶とブレンドして飲みやすくするのがおすすめ。その場合は、アールグレイなど苦みの少ない茶葉と合わせるとよいでしょう。紅茶と合わせる場合は紅茶小さじ1に対し、ラベンダー小さじ1/4で淹れましょう。

アールグレイは香りの相性も◎

CHAPTER2

48

HERB

「ビタミンＣの爆弾」の異名をもつ

ローズヒップ

美容のための実といっても過言ではないローズヒップ。実は、日本に咲くバラ科のハマナスの実のこと。ハーブティーでは乾燥したものを利用します。

DATA【別名】ー【科名】バラ科【使用部位】実

五味 ー　五性 ー　帰経 ー

リフレッシュ　消化　水分調整　整胃腸　活力UP　温める　清熱　リラックス　うるおす　活血　消毒殺菌　美容

おすすめの
利用法

ティースプーン１杯で一人分の量です。200 ～ 300ml のお湯で煎じて３～５分蒸らしてから飲みます。蒸らし時間が長いと、実もやわらかくなります。

成熟した実は真っ赤でみずみずしい。フレッシュハーブとして流通していることもあります

期待できる
効能

体を温めて食欲不振、二日酔いやイライラ、痛みや便秘、瘀血を改善します。

レモンの20～40倍のビタミンCを含む

ローズヒップは、日本に咲くハマナス（バラ科）の実。本州では鳥取県から北方面の海岸の砂地に生えます。園芸としても使われる品種です。

ハマナスの実は、ビタミンCがレモンの20～40倍と大きく上回ります。ビタミンCのほかさまざまな抗酸化作用をもつビタミン、フラボノイドなどが多量に含まれています。ビタミンCは肌に沈着するメラニンによるシミやソバカスの発生を抑え、コラーゲンや鉄分の吸収を促進させます。

ほかにもカルシウムが牛乳の10倍、鉄分は野菜の中でも含有量が高いほうれん草並みと、栄養も満点です。また、目の疲れにも効果的です。

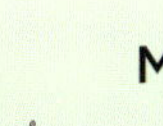

MEMO

ベリーと合わせたジャム作りにも最適

ローズヒップには、ゲル化するペクチンが含まれているのでジャム作りにも最適です。ハマナスは、10～11月に実がなります。実を水洗いし、鍋に同量の砂糖またはハチミツを入れ火にかけ、沸騰したらレモンをひと切れ絞ります。弱火で煮詰め、あら熱をとって煮沸消毒した瓶に詰めればジャムのできあがり。ローズヒップ（ドライ）は水に一晩ほどつけてふやかしてから作ります。イチゴなどベリー系の果物と合わせてもよいでしょう。

組み合わせで楽しもう！

ハチミツ×ローズヒップ

ローズヒップティー

ローズヒップには美肌に導く嬉しい効能がたっぷり。ただし、ハーブティーだけではローズヒップの効能をすべて得られないので、実も食べるとよいでしょう。ローズヒップはとても酸味が強いので、酸味が苦手な人はハチミツを加えて甘くすると飲みやすくなります。

赤い実は、酸味のあるハーブティーに

CHAPTER2

49

HERB

美しい紫の花を咲かせるハーブ

エキナセア

ネイティブアメリカンの万能薬であるエキナセアは、現在、EU 諸国では医薬品扱いにされているほど。主に体の免疫力を上げて風邪の予防に利用されます。

DATA【別名】ムラサキバレンギク 【科名】キク科 【使用部位】根・茎・葉

五味 — 五性 — 帰経 —

リフレッシュ 消化 水分調整 整胃腸 活力 UP 温める 清熱 リラックス うるおす 活血 消毒殺菌 その他

          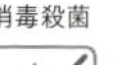 

おすすめの
利用法

ティースプーン 1 杯程度を熱湯 200 ～ 300ml で煎じてハーブティーとして飲んだり、酒に浸してチンキ（右頁下段参照）を作り、うがい薬として使用します。

エキナセアは、6 月から 9 月にかけ紫の花を咲かせます。丈夫で育てやすく、園芸植物としても人気の品種です

期待できる
効能

抗菌、殺菌作用のほか、免疫力を上げて感染症の予防、消炎作用でのどの痛みにも効果的。

ネイティブアメリカンの万能薬。消炎、免疫力を上げる

エキナセアは北アメリカ原産の多年草で、紫の花を咲かせ、古くはネイティブアメリカンが、虫刺されや傷の手当てなど万能薬として利用したハーブです。使用する部位は葉や茎、根で、乾燥させたものを利用します。消炎、抗菌、殺菌作用のほか、免疫力を上げて抗ウイルス、発汗作用も。抗ウイルス作用によって風邪やインフルエンザなど感染症の予防として利用するのも有効です。

エキナセアはEU諸国ではセントジョーンズワート（P.114）やカミツレ（P.106）と同様、医薬品扱い。長期の利用は避け、喘息もちやアレルギー体質、持病がある人は医師に相談のうえ利用しましょう。

MEMO
エキナセアの効能を取り入れるには

エキナセアには、ポリフェノールや多糖類、糖タンパク質が含まれ、なかでもポリフェノールの一種であるエキナコシドが白血球の数を増やし、免疫力を上げる役割をもちます。ほかにも、チコリ酸が豊富に含まれ、体の酸化を防ぐ抗酸化作用があることがわかっています。エキナセアの利用法は、ハーブティーだけでなく、チンキ（酒に浸した抽出液）にすれば、保存が効くうえ、外用として塗ることも可能です。

組み合わせで楽しもう！

酒× エキナセア
エキナセアのチンキ

遮光瓶にエキナセア20gを入れ、アルコール100mlを注いで蓋をします。アルコールは、30度以上の無水エタノールか、服用する場合は飲用できるホワイトリカーなどがおすすめ。1ヶ月ほど漬け込み、1日1回は軽くふり、中身をよく混ぜましょう。冷暗所で1年程度は保存が可能。

遮光瓶はインターネットなどで入手可能

目のトラブルの改善に

菊

ハードなデスクワークなどで、目の疲れが激しい時や便秘や吹き出物などの改善におすすめです。ブレンドハーブティーにして飲みましょう。

DATA【別名】ヨワイグサ 【科名】キク科 【使用部位】頭花

五味 辛 甘 苦 五性 涼 帰経 肝 肺

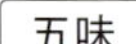

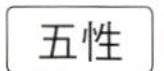
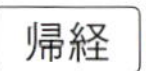

リフレッシュ 消化 水分調整 整胃腸 活力UP 温める 清熱 リラックス うるおす 活血 消毒殺菌 目の疲れ

おすすめの
利用法

乾燥したものは200～300mlのお湯に対し、ティースプーン1杯（5～10g）を煎じます。

食用菊は生薬の菊花とは別のもの。生薬と比べ、効力が落ちますが、薬膳で同様の効能として扱います

期待できる
効能

体を冷まし、デトックス効果が。目の疲れ、かすみ目、ドライアイ、目のトラブルからくる頭痛、高血圧などに。

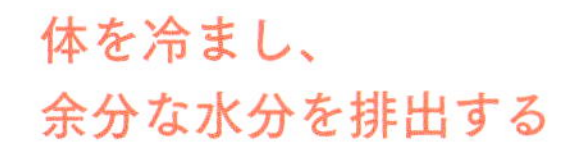

体を冷まし、余分な水分を排出する

菊は中国が原産で、チョウセンノギク（北方原産）とシマカンギク（南方原産）の交配種と考えられています。9～11月に花が咲き、頭花をつみとって花弁だけを日干ししたものを利用します。

菊の花を乾燥させた菊花の五性は「涼」で、体を冷ましますが、これは菊花のもつ水製エキスによるもの。多量に摂取すると解熱作用が強まりますが、循環器官への障害のおそれがあるので避けましょう。

菊は余分な水分を排出し、吹き出物や便秘の改善などデトックス効果も高いのも特徴です。科学的にも菊は、ヒトが本来もつ解毒作用であるグルタチオンの生産量を増やすことが確認されました。

MEMO

ドライアイ、目のかすみに効果的

菊の薬膳的効能のひとつに、目のトラブルを改善させることがあります。疲れ目、かすみ、ドライアイなど目のトラブル以外にも、花粉症や頭痛などの、表層に出る諸症状に効果があるとされています。目に付随する頭痛やめまいなどにも効能があります。デスクワークや細かい作業など、目を酷使する人におすすめです。菊の摂取方法は、ハーブティーがポピュラーです。デスクワークの人は、オフィスで淹れてひと息ついてもよいでしょう。

組み合わせを考えよう！

緑茶×菊 ブレンドハーブティー

乾燥させた菊の花のハーブティーはイライラをおさめます。ほのかな苦味があるため、中国緑茶などとブレンドして飲みやすくすることも。さまざまな産地があり、中国の杭州産が有名です。また菊の香りにはリラックス効果があり、枕元のポプリとして使用してもよいでしょう。

花を浮かべると見栄えがかわいらしい印象に

COLUMN

＼ 詳しく知ろう ／

薬膳やハーブをよりよく生活に取り入れるために

幸食薬膳料理スクール　田村 美穂香

食材の効能は、人に合わせて選ぶことが大事

ハーブやスパイスそして薬膳素材の効能は多様にありますが、これらの素材をより効果的に使うにはいくつかのポイントがあります。

中国伝統医学の考え方に「因人（いんじん）制宜（せいぎ）・因時制宜（いんじせいぎ）・因地制宜（いんちせいぎ）」という言葉があります。「人や季節、場所によって対応を変える必要がある」という意味です。

季節を考慮するということは季節の成り立ち、その様子を観察することでわかります。たとえば、春は日照時間は日に日に長くなり、木々は枝葉を上へ上へと広げ、活動的で伸びやかな様相を見せています。人間も、その変化に影響を受けています。心身は緩み活動的になっていきます。

ただし、季節を考慮するといっても、たとえば夏だからといって体を冷やす夏野菜を毎日食べればよいわけではありません。個々の体質や体調によっては合わない食材もあります。このようにまず大事なことは「人」を知ること。個々の体質や陥りやすい不調を知っていれば、季節の変化に準備することができます。

自然界は優しく、季節の変化に合わせて、調整してくれる旬の恵みを与えてくれています。春が旬の野菜は人体の発散力を調整する作用をもっています。高揚しがちなタイプの人の場合、これらの野菜をとることで気持ちや体調不良を整えられます。

私たちが一年を通して健やかに過ごすためには、自然界の営みに目を向け、住む「地域」で、その「時期」に採れたものを、「体調」に合わせて食べることが大切といえるでしょう。

Chapter3

体質、季節別
養生のアドバイス

病気ではないけど、体調がよくなかったり、季節によってどうもこの時期は不調…… という人は、まずは漢方の目線で自分の体質を知ってみましょう。
各ページに代表的な体質と、季節ごとで体によい食材を紹介します。

本書では代表的な５タイプの体質を紹介しています。各ページで体質チェックを設け、養生の方法を解説しています。病気ではないけれど、不調がある場合は、快適に過ごす方法として参考にしてみましょう。

季節によって起こりがちな不調を知りましょう。季節ごとにおすすめの食材や運動、休息など養生の仕方を解説しています。

不調があるならチェックしてみよう！

がんばらないといけないのに、どうしてもやる気が出ない……そんな症状のあなたは「気虚」かも？

気虚とは、肉体的な慢性疲労や、精神的にストレス続きの日常からくる免疫力の低下している状態です。きちんと寝たつもり、栄養をとっているつもりでも、下痢気味、風邪をひきやすいなどの症状は、気虚かもしれません。

気虚タイプチェック

MIBYO CHECK 症状 CHECK!

以下の質問に「はい」が5個以上当てはまったら、気虚タイプ。 ※ほかのタイプも確認してみましょう。

1. 朝、なかなか起きることができない （はい・いいえ）
2. お腹が空く時間帯でも、食欲が湧かない （はい・いいえ）
3. 食べると、胃がもたれて不快感がある （はい・いいえ）
4. 疲れやすいが、休むと一時的によくなる （はい・いいえ）
5. 基本的にいつもだるく、やる気がでない （はい・いいえ）
6. 手足が冷えやすい （はい・いいえ）
7. いつも便がゆるい （はい・いいえ）
8. 風邪をひきやすい （はい・いいえ）
9. 顔色があまりよくない （はい・いいえ）
10. 舌が白っぽくなっている （はい・いいえ）

気虚タイプに効く！

スパイス＆ハーブ

気が不足している気虚タイプは、気を補う食材や、体を温めるスパイスやハーブを意識して使うことで改善することができます。

ナツメ
▶ P.64

シナモン
▶ P.92

紫蘇
▶ P.66

黒ゴマ
▶ P.80

コリアンダー
▶ P.56

ショウガ
▶ P.48

気虚タイプに効く！

薬膳アドバイス

本来、薬膳は症状に合わせて食材を選ぶことがベストですが、薬膳を勉強しはじめた人にはちょっとハードルが高いもの。ここでは、おおまかに気虚タイプにおすすめの食材と生活改善方法を紹介します。

体を温め、免疫力を上げる食材を使う

普段の食事で、気虚タイプにとってよい献立の考え方は、五性が「平」や「温」で体を温めること、また消化吸収して気を生み出す「脾」の調子を整える食材と体を冷やさない食材がよいでしょう。以下は「気虚」によい食材です。

タイ

鰻

野菜…えだまめ、カボチャ、キャベツ、さつまいも、やまいも、じゃがいも、さつまいも、とうもろこし
穀類・ナッツ類…栗、ゴマ、ナツメ、餅米、玄米
魚貝…アジ、イワシ、サケ、サバ、ブリ
肉類…鶏肉、牛肉

ゆったりした運動

ストレスが続くと、気が少なくなり慢性疲労の状態に。しかし体力をつけようと無茶な運動をするのは悪循環です。また、体を動かしすぎた疲労による気虚タイプも同様です。運動をする場合は、息が上がらない以下のようなものがおすすめです。

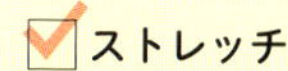

- ストレッチ
- ヨガ
- ウォーキング
- ハイキング

日光浴をしよう

気虚タイプは、睡眠時間を確保しても朝なかなか起きることができないなどの症状がある人も。日中はなるべく太陽の光を浴びて、夜はしっかり暗くして眠るなどを心がけましょう。また、体を外気から冷やさないようにしましょう。

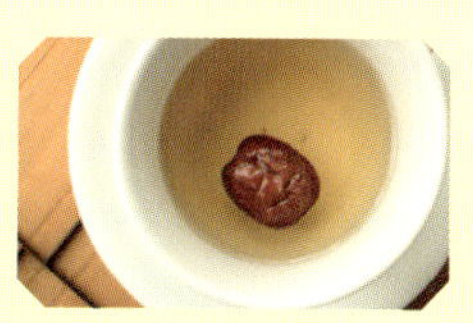

日常の休息にナツメ（P.64）の薬膳茶などがおすすめです

不調があるならチェックしてみよう！

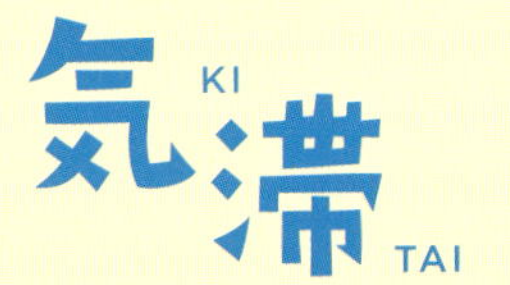

売られた喧嘩は勇んで買う！？ イライラしたり、ふさぎこんだり、気分が不安定な人は「気滞」タイプかも

気滞とは、生命力である「気の巡り」が滞って、気分が不安定な状態のこと。イライラしがちや、気が滅入ってふさぎこんだり、ストレスで過食気味になっていたり、のどや胸がつかえる感じの症状があります。

気滞タイプチェック

以下の質問に「はい」が5個以上当てはまったら、気滞タイプ。※ほかのタイプも確認してみましょう。

1.	ささいなことでもイライラする	（はい・いいえ）
2.	気分が滅入って落ち込みやすい	（はい・いいえ）
3.	お腹がはり、ガスが出やすい	（はい・いいえ）
4.	気分がむしゃくしゃして、食べ過ぎてしまう	（はい・いいえ）
5.	よくおならやげっぷが出る	（はい・いいえ）
6.	気がつくとため息をついている	（はい・いいえ）
7.	集中力が低下し、仕事や勉強、作業が続かない	（はい・いいえ）
8.	なかなか眠れない	（はい・いいえ）
9.	不安感がある	（はい・いいえ）
10.	しめつけるような偏頭痛が起きることがある	（はい・いいえ）

気滞タイプに効く！

スパイス＆ハーブ

気が滞っている気滞タイプは、気を流したり補う効能があるハーブやスパイスを積極的にとりましょう。ほかにもバジル（P.62）や八角（P.40）、コリアンダー（P.56）など多くのハーブが気を巡らせます。

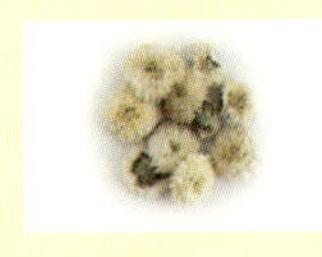

菊
▶ P.122

セロリ
▶ P.60

ニンニク
▶ P.24

ミカンの皮
▶ P.76

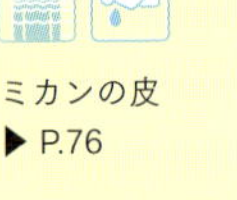

ミント
▶ P.102

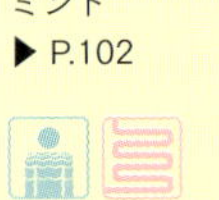

ローズ
▶ P.104

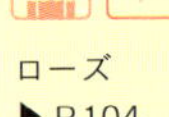

気滞タイプに効く！

薬膳アドバイス

ここでは、気滞タイプにおすすめの食材や養生の仕方を解説します。気滞タイプは、食材選びでは比較的選択肢が多いのが特徴です。また、運動でも休息でも、自由気ままに行うことが改善の手立てとなります。

食材 ハーブやスパイスをフル活用しよう

気滞タイプにとってよい献立の考え方は、リフレッシュできるような香りのハーブやスパイスを使って調理するのがポイントです。リフレッシュすることで、気の流れを促しましょう。温めて発散した方がよい時は、温性辛味を使い、冷やして落ち着かせたい時は、涼性苦味を使います。

サケ

ひまわりの種

ピーマン

ゆず

野菜…カブ、セロリ、大根、たまねぎ、ニラ、ブロッコリー、レタス
穀類・ナッツ類…アーモンド、小麦
魚貝…イカ、スズキ、牡蠣
肉類…鶏肉（ささみ）

運動 競わないスポーツ

気滞タイプは、他人と競ったり、タイムを縮めるなど具体的な目標をもたない運動が適しています。気ままに、体を動かすのがベスト。大事なのは、腹式呼吸を心がけ「息を吐く」ことを意識すること。これによってリラックス度が高まります。

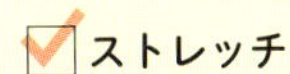

- ストレッチ
- ヨガ
- ジョギング
- ダンス

休息 したいことをする

友人とおしゃべりすることが楽しみの人はおしゃべり、歌を歌うのが好きな人はカラオケ、音楽を聴きながらのウォーキングが好きという人はそれも休息になります。気滞タイプは、気分を一新することが休息となるということがポイントです。気ままに、自分らしく過ごせる時間を作りましょう。

日常の休息は、ジャスミンティー(P.112)など香りがよいハーブティーでの気分転換がおすすめ

不調があるならチェックしてみよう！

髪や肌のツヤが悪く、貧血気味で、立ちくらみを起こしがち、眠りが浅く、いつも疲れ気味。そんな人は「血虚」かも。

血虚とは、血が不足し栄養不足の状態です。血が足りないため、貧血気味で、立ちくらみも。精神的に不安定で眠りも浅く、眠れても疲れがとれないような状態は血虚タイプといえます。

血虚タイプチェック

以下の質問に「はい」が5個以上当てはまったら、血虚タイプ。※ほかのタイプも確認してみましょう。

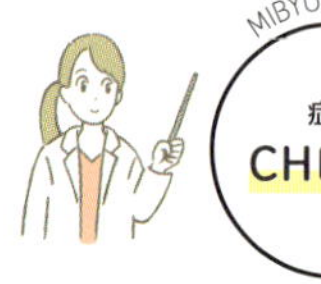

1. 爪が割れるなど、もろい（はい・いいえ）
2. 目が疲れて、かすむ、視力が落ちる（はい・いいえ）
3. 乾燥肌になった、白くカサカサしている（はい・いいえ）
4. 寝つきが悪く、寝られても眠りが浅く夢をよく見る（はい・いいえ）
5. 指先がしびれたり、手足が冷たい（はい・いいえ）
6. 月経が短い、または長くても量が少ない、遅れや乱れがある（はい・いいえ）
7. 口が乾き、舌の表面が白っぽい（はい・いいえ）
8. お風呂で立ち上がるとふらつく（はい・いいえ）
9. 電車で立っているのがつらい、クラクラする（はい・いいえ）
10. 気持ちが不安定でクヨクヨしがち（はい・いいえ）

血虚タイプに効く！

スパイス＆ハーブ

血が不足している血虚タイプは、血を補い、体を温めて消化吸収を促すスパイスやハーブを意識して使うことで改善することができます。

紫蘇
▶ P.66

クコの実
▶ P.82

黒ゴマ
▶ P.80

サフラン
▶ P.84

ナツメ
▶ P.64

ネトル
▶ P.110

血虚タイプに効く！

薬膳アドバイス

血虚タイプは、血や気を満たすことが大事です。さらに、ただ満たすだけではなく、栄養がしっかりと体に行き渡るよう、消化器官がきちんと働くことを心がけて食べることも大切です。

食材 体を温め、消化のよいものを選ぼう

血虚タイプは、体を温めて消化器官を働かせる必要があります。選ぶ食材は、まずはシンプルに五味の中でも滋養強壮となる「甘」を基準に選んでみましょう。また、刺激が強い辛いものや固いもの、油を多く使った料理などは、消化に負担がかかるので避けましょう。

牛肉

サケ

にんじん

さつまいも

野菜…ほうれん草、さといも、えだまめ、えのき、アスパラガス、はくさい、しいたけ、キャベツ、パセリ
穀類・ナッツ類…カシューナッツ、栗、くるみ、黒豆、黒米、大豆、松の実、落花生
魚貝…アサリ、アジ、イカ、牡蠣、エビ、サンマ、シジミ、スッポン、タイ、タコ、ハマグリ、ブリ、マグロ、マス
肉類…鴨肉、鹿肉、鶏肉、馬肉、羊肉、レバー

運動 「温め」を意識しよう

血虚タイプは、息が上がるようなハードな運動は避けましょう。おすすめの運動は血行がよくなるストレッチなど、体が温まるものがよいでしょう。筋肉が少ない、または衰えている状態なので、無理に体を動かすと症状の悪化や、怪我のもとになります。

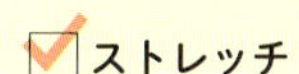

- ストレッチ

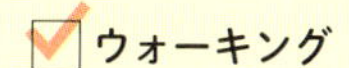

- ウォーキング
- 半身浴
- 水中ウォーキング

休息 目を酷使しない

血が不足して冷えて、体全体に活気がない状態の血虚タイプ。とにかく体をいたわることが大事です。デスクワークの人は時々目を休ませて、プライベートでも同じ姿勢でパソコンやスマホ、読書などで目や頭を酷使しないように過ごしましょう。

日常の休息では、紫蘇ジュース（P.66）や、ナツメ茶（P.64）などがおすすめです

不調があるならチェックしてみよう！

体力はあるが、肩こりや頭痛、月経痛もひどく、下半身が冷え性。のぼせやすく、イライラしがちなタイプ

血瘀とは、体力はあるし風邪もひかないものの、肩こりや頭痛がする、目の周りが重くクマがあったり、頭痛がするような症状。血が巡らず滞っている状態で、停滞している部分で痛みや色の変化を生じるのが特徴です。

血瘀タイプチェック

MIBYO CHECK 症状 CHECK!

以下の質問に「はい」が5個以上当てはまったら、血瘀タイプ。※ほかのタイプも確認してみましょう。

1. 重い肩こり、頭痛がする　（はい・いいえ）
2. 唇の色が悪く青紫系の色をしている　（はい・いいえ）
3. 皮膚や粘膜の色がくすんでいる　（はい・いいえ）
4. 下半身が冷え性だが、上半身はのぼせやすい　（はい・いいえ）
5. 月経痛が重くつらい、レバーのような塊がある、期間が長引く　（はい・いいえ）
6. イライラしやすい　（はい・いいえ）
7. シミ、あざができやすい　（はい・いいえ）
8. 腰痛がある　（はい・いいえ）
9. 睡眠不足が続いている　（はい・いいえ）
10. 明らかにストレスに囲まれている　（はい・いいえ）

血瘀タイプに効く！

スパイス＆ハーブ

血瘀タイプは、血が滞り、筋肉のコリが悪化して痛みのレベルに達しています。また、体内でも血の滞りで月経痛がひどいなど体全体で痛みが発生し、イライラが溜まっている状態です。

ハイビスカス
▶ P.108

ローズ
▶ P.102

サフラン
▶ P.84

よもぎ
▶ P.68

ウコン
▶ P.86

ベニバナ
▶ P.90

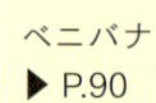

血瘀タイプに効く！

薬膳アドバイス

血の流れが滞る原因となる油が多い料理を避け、筋肉のコリをほぐすためにサラダは温野菜など、なるべく温かい料理がおすすめ。気滞（P.128）タイプからおこる場合があるため、ストレスを溜めないことも重要です。

血の流れを促すものを選ぼう

血瘀タイプになる原因は、極端な暑さや、冷え、長時間同じ姿勢や睡眠不足などが挙げられます。過度なストレスにより血の流れが滞っている状態です。血をサラサラにし、循環させるような食材を選びましょう。

イワシ

イカ

野菜…たまねぎ、なす、ニラ、さといも、ちんげん菜、ピーマン
穀類・ナッツ類…黒豆、納豆、大豆、小豆、銀杏、松の実、落花生
魚貝…アジ、鰻、牡蠣、カツオ、サケ、サバ、サワラ、サンマ、タイ、わかめ、コイ
肉類…牛肉

適度な有酸素運動

血瘀タイプは、ドロドロに滞った血の巡りをよくするために、全身を動かす適度な有酸素運動を週に3回程度行いましょう。軽く息がはずむ程度で、筋肉をほどよく動かすと、血液が全身を巡ります。血流をよくすることが大切です。

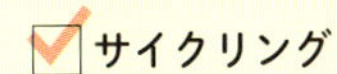

- サイクリング
- 水泳
- ジョギング
- エアロビクス

睡眠をよくとる

血瘀タイプの不調は、睡眠不足も原因です。体を動かすことを習慣化したら、良質な睡眠を心がけましょう。また、少量のお酒も血を巡らすのによいでしょう。ただし、飲み過ぎはアルコールの分解で消化器官が働き、水分不足で血が滞る原因となります。

薬膳茶なら、ベニバナ（P.90）を使ったもの、クコ酒（P.83）など薬膳酒を少量服用するのもおすすめです

不調があるならチェックしてみよう！

甘いものを食べ過ぎ、むくみやすい。睡眠時間がやたら長く、体が重い感じがする、頭が痛い……そんな状態は「水滞」です

水滞とは、体の中の水分が外に排出されずに巡りが滞り、体に余分な水分が溜まっている状態です。運動不足で代謝が落ちていると水滞や、水毒になります。※水毒は溜まった水分がよどんで体に悪影響を及ぼしている状態です

水滞タイプチェック

以下の質問に「はい」が5個以上当てはまったら、水滞タイプ。※ほかのタイプも確認してみましょう。

1.	運動をしていない、体が重く感じる	(はい・いいえ)
2.	靴下や下着の跡がつきやすい、体がむくみやすい	(はい・いいえ)
3.	下半身が冷えやすい	(はい・いいえ)
4.	鼻水が出る、鼻づまりをしている	(はい・いいえ)
5.	頭痛がある	(はい・いいえ)
6.	なかなか起きれず、睡眠時間が長い	(はい・いいえ)
7.	唾液が多い、舌の苔がべっとりしている	(はい・いいえ)
8.	吐き気や胃もたれがよくおきる	(はい・いいえ)
9.	通常下痢気味である	(はい・いいえ)
10.	立ちくらみやめまいが多い	(はい・いいえ)

水滞タイプに効く！

スパイス＆ハーブ

体の中の水分が滞っている水滞タイプは、デトックス作用のあるスパイスやハーブを摂取するのがおすすめです。

ワサビ
▶ P.26

コショウ
▶ P.30

ディル
▶ P.38

菊
▶ P.122

セロリ
▶ P.60

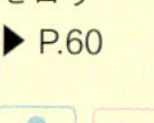

リョクトウ
▶ P.70

水滞タイプに効く！

薬膳アドバイス

体の中で滞った水分を促すためには、消化器官を活性化させたり、水分を調整するために発汗作用のある食材、運動を心がけましょう。物理的に体をやさしくマッサージすることも効果的です。

デトックス効果があるものを選ぼう

食べ過ぎのときは体を冷やすのがよいこともありますが、消化器官や吸収する器官を司る「脾」の働きをよくすることで、体の中の水分の巡りをよくします。そのためには、体を温めて腎を活性化させたり、余分な水分を除去、調整する食材を選びましょう。

そら豆

鶏肉

春菊

アサリ

野菜…きゅうり、とうもろこし、とうがん、トマト、ナス、白菜、もやし
穀類・ナッツ類…小豆、黒豆
魚貝…シジミ、ハマグリ、海藻類、ハモ、タイ、コイ、アユ
肉類…鴨肉

やや汗をかく

水滞タイプはハードな運動よりも、やや汗ばむ程度の動きのものがおすすめ。汗をかくことで体の中の水分を排出します。運動の際、水をガブガブと飲むのはNGです。体を動かして喉が乾かない程度、汗をややかくものを選んでみましょう。

トレッキング

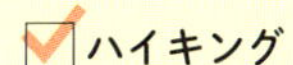
ハイキング

軽いジョギング

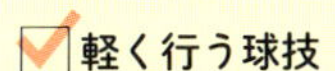
軽く行う球技

マッサージ

水分の滞りを改善するには、マッサージを受けたり、自分でオイルマッサージを行ってリンパの流れを促すのもよいでしょう。また、リフレッシュできる香りを嗅いだりするアロママッサージもおすすめです。体が冷えないように行いましょう。

カルダモンコーヒー（P.96）や、韓国料理でおなじみのコーン茶などもおすすめです

SPRING YAKUZEN

胃腸の調子を整える！

春の養生と食材

活動的になる半面、消化器が弱まる

春は立春（2月の節分の日の翌日が目安）から気温が上昇し、春分の日（3月20または21日）を機に陽の気が高まる季節です。これは夏至まで続き、この期間は生命が活動的になります。そのため肝の働きが強くなりすぎるため、胃腸が弱ることがあります。

春の性質を理解して弱まる部分を補いましょう

食材の選び方

陽の気が高まり（P.14）気持ちが不安定になりがち。香りのよいスパイスやハーブなどで気持ちを安定させることで陽の気を静めましょう。

甘、苦味をとる

「甘味」の食材で胃腸の働きを司る脾を補い、栄養を効率よく取り入れましょう。「苦味」の食材で、冬に溜まったものを排出しましょう。

軽めの運動

ハードな運動より、軽めのウォーキングやヨガ、ストレッチなどがおすすめです。太陽の光を浴びて、のびのびとリラックスしましょう。

肝の働きを高める

解毒する部位、肝の働きが弱まりやすい時期です。ハーブならフェンネル（P.50）、菜の花やうどなど肝を補うことで気の巡りもよくなります。

食材リスト

春は気がのぼせやすく、気持ちが不安定になりがちですが、気を巡らせることで気持ちを安定させましょう。肝のバランスを整える食材と、気持ちを静め、解毒作用があり、胃腸によいものをとりましょう。

【牛肉】五性：温　五味：甘　帰経：脾・胃

消化を促進する ものを選ぶ

豆腐は消化によくエネルギーにもなるため、体を元気にする食材です。やまいも、そら豆、大豆などは消化を促進します。

スパイス＆ハーブ

ニンニク（P.24）、パセリ（P.52）、バジル（P.62）、コリアンダー（P.56）、クミン（P.58）、ショウガ（P.48）、フェンネル（P.50）など

【タケノコ】五性：寒　五味：甘　帰経：胃・大腸・膀胱

体を冷やす ものを選ぶ

五性が寒や涼のレタス、もやし、なす、セロリ、ゴボウ、海産物ではひじきやアサリ、果物ではリンゴなどが体を冷まします。

スパイス＆ハーブ

ウコン（P.86）、クチナシ（P.88）、セージ（P.36）、タイム（P.32）、クワ（P.98）、ドクダミ（P.100）、ハイビスカス（P.108）など

【さといも】五性：平　五味：甘・辛　帰経：脾

解毒作用がある ものを選ぶ

たらの芽、ぜんまい、さやえんどうなどは解毒作用により、むくみが改善します。海産物ではカニもおすすめです。

スパイス＆ハーブ

ショウガ（P.48）、クローブ（P.42）、ウコン（P.86）、セロリ（P.60）、紫蘇（P.66）、ドクダミ（P.100）、リョクトウ（P.70）、はとむぎ（P.72）など

【菜の花】五性：温　五味：辛　帰経：肝・肺・脾

イライラを和らげる ものを選ぶ

セリ、みつばなど春の野菜は香りがよく気を整えます。海産物のホタテもイライラやストレスを緩和する食材です。

スパイス＆ハーブ

ローズ（P.102）、ミカンの皮（P.76）、ジャスミン（P.112）、八角（P.40）、ナツメ（P.64）、紫蘇（P.66）、セントジョーンズワート（P.114）など

SUMMER YAKUZEN

気と水の巡りをよくする！

夏の養生と食材

梅雨、夏は暑さで体調不良に

夏は、5月6日頃の立夏から8月7日頃（立秋の前日）までとされ、草木が生い茂り始めます。陽がよくなり、みずみずしい世界に。気温が上がり、体に熱がこもりやすくなります。暑さのため水分のとりすぎなどで水の巡りが悪くなり、食欲不振や体調不良で夏バテとなります。

夏の性質を理解して弱まる部分を補いましょう

食材の選び方

体の熱が高まりすぎて胃腸が弱まり、食欲不振に。体を冷ます五性が「寒」「涼」のものや、スパイス、ハーブではすっとする香りを選びましょう。

苦、酸味をとる

お酢、レモン、梅干しなど酸っぱいものをとることで汗をかきすぎないようにし、ゴーヤ、ピーマンなど苦いもので体を冷まします。

朝はしっかり起きる

日が長い時期。夜更かしをせず太陽のリズムと合わせましょう。水分をとりすぎる季節なので、適度な運動をして水の流れを促しましょう。

脾の働きを高める

暑さで脾が疲れるので、消化促進や食欲増進作用のあるハーブやスパイスの八角（P.40）などで養生することをおすすめします。

食材リスト

夏の食材選びのポイントは、暑さで汗を多くかくため、水分が失われすぎるのを防ぐこと。また、熱がこもって水分が滞ることを防ぐために水の巡りをよくする食材を選びましょう。

【エビ】五性：平　五味：酸　帰経：肺・胃

代謝を促す ものを選ぶ

利尿作用があるものや、体を温めて発散や汗を出して代謝を促すものを選びましょう。

スパイス＆ハーブ

ミカンの皮（P.76）、ミント（P.102）、ドクダミ（P.100）、菊（P.122）、カミツレ（P.106）、など

【なす】五性：涼　五味：甘　帰経：脾・胃・大腸

体を冷ます ものを選ぶ

なすや冬瓜、キュウリやゴーヤ、大豆や小豆など、体を冷まして水分の巡りを促す食材を選びましょう。

スパイス＆ハーブ

セロリ（P.60）、はとむぎ（P.72）、セージ（P.36）、クワの実（P.98）、クチナシ（P.88）、菊（P.122）、リョクトウ（P.70）、サフラン（P.84）、ハイビスカス（P.108）、ローズヒップ（P.118）など

【イワシ】五性：温　五味：甘・鹹　帰経：肝・腎・心・脾

消化を促す ものを選ぶ

イワシ、鴨肉、レバー、牛肉、さといも、こんにゃく、にんじんなど消化がよく、脾に届くものを選びましょう。

スパイス＆ハーブ

ショウガ（P.48）、ニンニク（P.24）、コリアンダー（P.56）、八角（P.40）、カルダモン（P.96）、バジル（P.62）、サンショウ（P.44）、紫蘇（P.66）、ミカンの皮（P.76）、はとむぎ（P.72）など

【カツオ】五性：平　五味：甘　帰経：腎・脾

気を補う ものを選ぶ

カツオ、にんじん、きのこ、じゃがいも、サケ、そら豆、空芯菜、えだまめなどで気を補って元気になりましょう。

スパイス＆ハーブ

フェンネル（P.50）、セージ（P.36）、八角（P.40）、ナツメ（P.64）など

AUTUMN YAKUZEN

体を潤し、肺を守る！

秋の養生と食材

気温の変化や乾燥で、風邪をひきやすくなる

夏に育ちきった植物が、生長のピークを超えて実を結ぶ季節。暦としては8月8日頃が立秋で11月6日頃（立冬の前日）までが秋とされます。湿気が減り、気温が下がりはじめ、冬への準備期間に入ります。気温の変化と乾燥、夏にエネルギーを消耗し、風邪をひきやすい時期です。

秋の性質を理解して弱まる部分を補いましょう

食材の選び方

潤い補給に、水分を補う食材を選びましょう。秋は果物も多いので、積極的に取り入れましょう。ナッツ類など色が白い食材は肺を潤します。

甘、酸味をとる

酸味で発散を抑えて潤いを閉じ込めましょう。甘味のある牡蠣、ホタテなどで潤いUP！肺を潤して健康に。空咳などの対策にも。

軽めの運動

スポーツの秋といいますが、軽い運動で十分です。ハイキングやウォーキング、あるいはカラオケなどでストレスを発散するのもよいでしょう。

肺によいものを選ぶ

肺を潤すものを選びましょう。夏の疲れを補うために穀類、いも類、豆類で体力を補いましょう。味が濃いもの、辛味は控えましょう。

食材リスト

秋の食材選びで意識すべき点は、肺を潤し乾燥から喉を守り、水分を補うことです。夏に消耗した体力を回復させるため、滋養強壮によいもの、冷え対策として体を温めるものを選びましょう。

【カブ】五性：温 五味：甘・辛・苦 帰経：肺・脾

肺を潤す ものを選ぶ

白きくらげ、ゆりね、チーズ、ヨーグルト、落花生、銀杏など肺を潤して喉によいものを選びましょう。

スパイス＆ハーブ

タイム（P.32）、ネギ（P.74）、アンズ（P.94）、パセリ（P.52）、白ゴマ（P.78）、黒ゴマ（P.80）、クコの実（P.82）など

【梨】五性：涼　五味：甘・酸　帰経：肺・胃

体を潤す ものを選ぶ

こんにゃく、ぶどう、リンゴ、グレープフルーツなど水分量が多いもの、または松の実など体に潤いをもたらすもの。

スパイス＆ハーブ

白ゴマ（P.78）、黒ゴマ（P.80）、クコの実（P.82）、アンズ（P.94）など

【さつまいも】五性：平　五味：甘　帰経：脾・腎

滋養強壮になる ものを選ぶ

カツオ、さといも、タコ、ニラ、やまいも、牛肉などで、夏に疲れた体を回復するような体力がつくものを選びましょう。

スパイス＆ハーブ

ニンニク（P.24）、クローブ（P.42）クミン（P.58）、カルダモン（P.96）八角（P.40）、ナツメ（P.64）、黒ゴマ（P.80）など

【たまねぎ】五性：温　五味：甘・辛　帰経：肺・胃

体を温める ものを選ぶ

マグロ、鶏肉、牛肉、タイ、エビ、イワシ、マス、マッシュルーム、サバなど体を温めるものを選びましょう。

スパイス＆ハーブ

紫蘇（P.66）、ミカンの皮（P.76）、クローブ（P.42）、シナモン（P.92）など

WINTER YAKUZEN

とにかく温める！

冬の養生と食材

冷えで体調不良になりやすい

11月7日の立冬から、節分の前日、2月3日頃までが冬とされます。冷気によって体が冷えて体調を崩しがちな季節です。体の水分の貯蔵や、免疫力などを司る腎を温めて体力、気力を補充しておきましょう。気持ちの面でも春に備えて、心穏やかに過ごすのがよいでしょう。

冬の性質を理解して弱まる部分を補いましょう

補い方のポイント

食材の選び方

体を温め、血行を促進するものを選びましょう。エネルギーを蓄えて冬を乗り切り、春を迎えるために体力、精力がつくものを食べましょう。

辛、鹹味をとる

辛、鹹味で体を温めて血行を促しましょう。気も補うようにを心がけましょう。五性に「腎」があるものを選ぶことで、精力を補えます。

軽めの運動

ハードなスポーツを避けましょう。気温が低いときに激しい有酸素運動をすると、体温との温度差で心臓や気管支に大きな負担をかけます。

腎を補う

寒さで内臓まで冷える季節です。冬に働きが増し、冷えに弱いのが腎です。冬は腎を補うこと、腰回りを冷やさないことが大事です。

食材リスト

冬は冷気によって冷えてしまう体を、食材の五性も、味付けに使うスパイスやハーブも温や熱を使って、とことん温めましょう。春に向けた内臓のケアとして、生命力を蓄える「腎」のものも摂取しましょう。

【ニラ】五性：温　五味：辛　帰経：肝・胃・腎

体を温める ものを選ぶ

アジ、エビ、羊肉、牛肉、鹿肉など体が温まる食材を選び、スパイスやハーブでより効果的に調理しましょう。

スパイス＆ハーブ

ニンニク（P.24）、ショウガ（P.48）、八角（P.40）、唐辛子（P.46）、クミン（P.58）、コショウ（P.30）、サンショウ（P.44）、シナモン（P.92）よもぎ（P.68）、パセリ（P.52）、ネギ（P.74）など

【鶏肉】五性：温　五味：甘　帰経：胃・脾

体力がつく ものを選ぶ

体が温まる牛肉や、羊肉、タラ、サケ、にんじんなどでエネルギーを蓄えましょう。

スパイス＆ハーブ

ニンニク（P.24）、ナツメ（P.64）、黒ゴマ（P.80）、白ゴマ（P.78）、唐辛子（P.46）など

【春菊】五性：平　五味：甘・辛　帰経：脾

塩気のある ものを選ぶ

エビ、干し貝柱、豚肉、わかめ、かつおなど塩気「鹹」があるものを副菜などに入れましょう。

スパイス＆ハーブ ※塩気と相性のよいスパイスやハーブ

ニンニク（P.24）、唐辛子（P.46）、フェンネル（P.50）、タイム（P.32）、コショウ（P.30）など

【アジ】五性：温　五味：甘　帰経：胃・腎

精力を高める ものを選ぶ

腎によい食材のアジ、エビ、牡蠣、カニ、豚肉、鴨肉、羊肉、鹿肉、ブロッコリー、なずな、カリフラワーなどを選びましょう。

スパイス＆ハーブ

黒ゴマ（P.80）、クローブ（P.42）、シナモン（P.92）、クコの実（P.82）、フェンネル（P.50）、クミン（P.58）、八角（P.40）など

監修：田村 美穂香

薬膳料理家・自然療法研究家　　横浜「幸食（さいしょく）薬膳料理スクール」主宰

自身の虚弱体質や、三人の子供のアレルギー体質などを、西洋・東洋の医療と共に自然療法や薬膳料理を取り入れて克服。以来、薬膳料理やアロマセラピー、ハーブ療法などの自然療法を生活に取り入れながら、㈱ニールズヤードPS認定アロマ基礎クラス、㈱生活の木、都立高校、公共団体等で講座を多数開催。

編集・制作
井上 綾乃（funfun design）

編集協力
スタジオダンク

執筆
田代 陽一・千葉 泰江・成澤 明恵

イラスト
高橋 由季（コニコ）

DTP
丸橋 一岳

撮影
斉藤 有美・井上 綾乃

撮影協力
株式会社ギャバン
https://www.gaban.co.jp/

画像提供
姫野ばら園八ヶ岳農場

参考文献

『薬膳・漢方検定公式テキスト』薬日本堂 著（株式会社実業之日本社発行）／『毎日役立つ からだにやさしい 薬膳・漢方の食材帳』薬日本堂 著（株式会社実業之日本社発行）／『毎日使える薬膳 & 漢方の食材事典』阪口珠美 著（株式会社ナツメ社発行）／『今日からはじめる野菜薬膳』橋口 亮・橋口玲子 著（株式会社マイナビ発行）／『スパイス＆ハ ブの使いこなし事典』（株式会社主婦の友社発行）／『スパイス完全ガイド 最新版』ジル・ノーマン 著（株式会社山と渓谷社発行）／『新訂原色 牧野和漢薬草大図鑑』岡田 稔 監修（株式会社北隆館発行）／『現代の食卓に生かす「食物性味表」』仙頭正四郎 監修（日本中医食養学会）／『カレースパイス成分のクルクミンがアルツハイマー痴呆を予防する（F・医薬品開発，薬理学，臨床）』東田千尋／『くちなしカロテノイド色素について』近 雅代／『プレニルフラボノイドの生理機能性』向井理恵ほか／『ハーブ類の加工利用適性に関する研究』平川良子ほか／『ジュウヤクの生薬学的研究（1）：ドクダミ中のフラボノイド配糖体含量について』川村智了ほか／『ドクダミ茶の採取時期における無機構成成分』光崎龍子／『香辛料のヒト脳循環と脳高次機能に及ぼす影響（II）：カルダモンの脳内血流増大作用』井上和美ほか／『タイム生葉の保存方法による香気成分の変化』佐藤幸子／『冷蔵中の魚刺身に対する練りワサビの保存効果：刺身付着菌の増殖阻害』松岡 麻男／『メタボに効くワサビ』矢作忠弘／『ルッコラは催淫剤？』水谷 智洋／『こんな根 どうだ根 - 第 9 回 ルッコラ -』中野明正ほか／『セロリーの成分研究』大北清子／『カミツレの品質に関する研究（第 2 報）：配糖体の定量分析』金森久幸ほか／『ジャスミン茶の香りに鎮静作用があることを確認』株式会社伊藤園中央研究所／『環境と健康　香りの心拍数の " ゆらぎ " への効果の検証』佐藤英助ほか／『スイートバジル収穫後の乾燥処理が葉中精油含量とその成分割合に及ぼす影響』市村匡史ほか／『SPME 法による in vivo および in vitro バジル植物体の香気成分分析』村上慶枝ほか／『生体色素ヒペリシン』寺嶋昌代／『ベニバナ成分の生体内における抗酸化作用』松葉 滋ほか／『鎮静・覚醒作用のある精油を用いたハンド・フットマッサージの健常成人女性の心身に及ぼす効果』木村真理ほか／『ラベンダーの香りと神経機能に関する文献的研究』留木裕子／『調整法で変わるエキナセアの免疫賦活効果（B・天然物，生薬学）』百々玲子／『嬉野産エキナセア茶のポリフェノール成分の分析と官能評価』安田みどりほか／『伝統生薬「菊花」の解毒作用を解明』ポーラ研究所／『健常人における、ロスマリン酸の薬物動態に関する検討』金沢大学医薬保健研究域医学系 脳老化・神経病態学／『片面シソ飲料に含まれるロズマリン酸の定量』及川和志ほか／『種皮の色の異なるゴマの品質』浅井由賀ほか／『睡眠障害に対するサフランの効用』城所絢耶ほか／『テリマグランジンによるアレルギー抑制作用』新井博文

美味しく改善　ハーブ&スパイス薬膳 新版
カラダを整える食材の便利帳

2022 年 1 月 20 日 第 1 版・第 1 刷発行

監修者　田村 美穂香（たむら みほこ）
発行者　株式会社メイツユニバーサルコンテンツ
　　　　代表者　三渡 治
　　　　〒 102-0093 東京都千代田区平河町一丁目 1-8
印刷　　株式会社厚徳社

© フィグインク,2016,2022.　ISBN978-4-7804-2574-1　C2077　Printed in Japan.

ご意見・ご感想はホームページから承っております。
ウェブサイト　https://www.mates-publishing.co.jp/

編集長：折居かおる　企画担当：折居かおる

※本書は 2016 年発行の『美味しく改善「ハーブ＆スパイス薬膳」カラダを整える食材の便利帳』を「新版」として発行するにあたり、内容を確認し一部必要な修正を行ったものです